GOLDMANN
Lesen erleben

Buch

Joachim Fuchsberger gehört zu den bekanntesten und beliebtesten deutschen Entertainern. Und er verfügt über mehr als achtzig Jahre Lebenserfahrung. Launig und charmant, nachdenklich, aber nie weinerlich, plaudert Joachim Fuchsberger über die Blüte seines Lebens und darüber, wie es sich anfühlt, wenn sie langsam dahinwelkt.

Dabei nimmt er kein Blatt vor den Mund und empfiehlt, sich den Lebensabend nicht durch demografische Schwarzmalerei verderben zu lassen. »Ich denke, es ist Zeit, dass sich die Alten die faltige Haut nicht länger über die Ohren ziehen lassen. Hören wir auf, im stillen Kämmerlein und vor der Glotze auf die Schwätzer zu hören, lassen wir uns keine Angst mehr einjagen von den Neunmalklugen, wo immer sie sitzen.«

Vor allem macht der große alte Mann des deutschen Unterhaltungsfilms seinen Altersgenossen (und auch allen anderen) Mut, locker mit diesem unvermeidlichen Vorgang umzugehen: »Und was legitimiert mich, ein Buch über das Altwerden zu schreiben? Ganz einfach – ich bin alt. Ich möchte meinen Altersgenossen... die Angst davor nehmen, alt zu werden. Ich möchte ihnen Mut machen, sich dazu zu bekennen.«

Autor

Joachim »Blacky« Fuchsberger, geboren am 11. März 1927 in Stuttgart, deutscher Schauspieler und Entertainer, begann seine Film- und Fernsehkarriere 1954 und erhielt dafür viele Auszeichnungen wie z. B. Goldene Kamera, Bambi, Bundesverdienstkreuz, Großes Bundesverdienstkreuz, Bayerischer Fernsehpreis für sein Lebenswerk sowie den »Deutschen Fernsehpreis 2011«, ebenfalls für sein Lebenswerk, und den Ehrenpreis des »Deutschen Nachhaltigkeitspreises« für sein Engagement für UNICEF.

Joachim Fuchsberger

Altwerden ist nichts für Feiglinge

GOLDMANN

Verlagsgruppe Random House FSC® N001967
Das für dieses Buch verwendete FSC®-zertifizierte Papier
Classic 95 liefert Stora Enso, Finnland.

7. Auflage
Vollständige Taschenbuchausgabe April 2014
Wilhelm Goldmann Verlag, München,
in der Verlagsgruppe Random House GmbH
© 2010 Gütersloher Verlagshaus, Gütersloh,
in der Verlagsgruppe Random House GmbH
Umschlaggestaltung: Uno Werbeagentur, München,
unter Verwendung eines Entwurfs des GütersloherVerlagshaus
Umschlagillustration: Jim Rakete / photoselection, Hamburg
Satz: Uhl + Massopust, Aalen
Druck und Bindung: GGP Media GmbH, Pößneck
CB · Herstellung: IH
Printed in Germany
ISBN 978-3-442-17419-5
www.goldmann-verlag.de

Besuchen Sie den Goldmann Verlag im Netz

Inhalt

Dieses Buch habe ich meiner Frau Gundel und meinem Sohn Thomas gewidmet, als Thommy noch lebte.

Am 14. Oktober 2010 ging unser gemeinsames Leben grausam zu Ende. Unser Sohn hat als Erster die letzte Hürde übersprungen.

Wir danken ihm für die Liebe, die er uns Zeit seines Lebens geschenkt hat.

Der Tod kommt oft unverhofft ...

Eine Betrachtung des Unabänderlichen

Ach ja, früher, zwei Stufen auf einmal, manchmal sogar drei, kam darauf an, wohin. Bei einer normalen Haustreppe mit sagen wir fünfzehn Stufen betrug der Zeitaufwand, um von einem Stockwerk in das nächsthöhere zu gelangen, ein paar Sekunden.

Heute, fünf Stufen, langsam nacheinander, dann zehn Sekunden Pause, dann wieder fünf Stufen, bei ständigem Wechsel des Kraftaufwandes von den Beinen in die Arme, die den schwer gewordenen Körper am Handlauf des Treppengeländers hochziehen. Ganz egal wohin!

Dieser Vorgang kann inzwischen bis zu einer Minute in Anspruch nehmen. An schlechten Tagen brauchst du also für den Aufstieg in die obere Etage deines Hauses ungefähr zehnmal so lang.

Damit wäre ein wesentlicher Teil des Problems »Altwerden« bereits beschrieben. Es ist das Verhältnis von Kraft und Zeit.

Dieses Buch soll kein Lamento werden, nur eine subjektive Schilderung des derzeitigen physischen Zustandes eines Betroffenen. Und Besserung ist da kaum zu erwarten.

Was berechtigt mich, ein Buch über das Altwerden zu schreiben? Ganz einfach – ich bin alt.

Da ich diese Zeilen zu Papier bringe, zähle ich zweiundachtzig Jahre, sechs Monate und vierundzwanzig Tage. Ein paar Stunden kämen auch noch dazu, aber wir wollen nicht kleinlich sein.

Hape Kerkelings Horst Schlämmer würde jetzt sagen: »Isch hab Rücken, isch hab Hals und isch hab Herz – weißte Bescheid ...«

Ich weiß Bescheid. Derzeit reden ja viele über das Alter, auch ganz Junge, und viele reden da einen ziemlichen Blödsinn. Ein vermutlich ehrenwerter Politiker fragt, ob die Alten noch ein Recht auf neue Hüften hätten? Ob sich das noch lohne? Ich wünsch ihm eine, die recht wehtut, im Alter. Ein vermutlich respektabler Journalist versteigt sich zu der Frage, ob die Alten nicht selber schuld daran sein könnten, wenn sie von Jungen zusammengeschlagen und halb tot getreten werden. Dankeschön! Das wünsche ich ihm nicht, wenn er alt ist.

Was ist überhaupt Alter? Für Politiker offenbar eine künftige Katastrophe, die sie gern als »Demografie« im Munde führen. Auf Deutsch heißt das Bevölkerungswissenschaft. Der zufolge nehmen wir Alten den Jungen die Zukunft weg, einfach dadurch, dass wir zu lange leben. Punkt! Ein Offenbarungseid!

Alter ist nicht nur eine biologische Unabänderlichkeit, sondern auch ein mentaler, also geistiger Vorgang. Dieser wurde dem normal gebildeten Bundesbürger erst bewusst, seit er gern als Qualitätsmerkmal in die Volkssportarten Tennis, Golf, Boxen, Strandvolley- und Fußball Eingang gefunden und damit überragende Bedeutung erlangt hat.

Die »großen Alten« in dieser und anderen Sportarten zählen durchschnittlich knapp über dreißig Lenze, ein Alter also, in dem bei manchen Stars das Mentale, also das Geistige, zwangsläufig einen gewissen Nachholbedarf aufweist.

Einige »große Alte« haben bemerkenswerte Aussagen über das Alter gemacht.

Mae West, das erste Hollywood-Sexsymbol (1893 bis 1980) muss, anstandshalber, als Erfinderin des Titels dieses Buches genannt werden. Als sich ihre berückenden Maße in bedrückende Masse verwandelten, soll sie einem respektlosen Journalisten auf die Frage nach ihren Rundungen geantwortet haben: »Listen, young man, aging is not for cowards!«

Sir Peter Ustinov (1921 bis 2004) gab mir als Vermächtnis seine Erkenntnis mit auf den Weg: »Wir alten Männer sind gefährlich, weil wir keine Angst mehr vor der Zukunft haben. Wir können sagen, was wir denken, wer will uns denn dafür bestrafen?«

Robert Boyle (geboren 1909), Alfred Hitchcocks Bühnenbildner, wurde 98-jährig mit dem Ehren-Oscar 2008 ausgezeichnet. Von zwei äußerst attraktiven, sehr spärlich bekleideten Damen zum Mikrofon geführt kümmerte er sich einen Dreck um die limitierte Zeit für die Dankesadresse, betrachtete seine Begleiterinnen mit erkennbarem Genuss und meinte dann mit zittriger Stimme: »Ladies and Gentlemen – dies sind die Freuden des Alters. Der Rest ist nicht mehr sehr empfehlenswert!«

Erich Glowatzki, in den Dreißigerjahren nach Australien ausgewanderter und zum Multimillionär aufgestiegener Sachse, brachte das Alterungsproblem auf den einfachen Nenner: »Nu, wenn de jung bist, haste Zähne zum Beißen, aber nischt zu fressen. Wenn de alt bist, haste genug zum Fressen, aber keene Zähne mehr zum Beißen!« Voilà!

Man kann sich dem Problem des Älterwerdens auch akademisch nähern. Die Wissenschaft bezeichnet die »Lehre von den verschiedenen Altersvorgängen«, also den unaufhaltsamen Niedergang von Saft und Kraft im Menschen, als »Gerontologie«, und die kommt zur der unwiderlegbaren Erkenntnis: So ist das nun mal!

Man kann die ganze Sache auch weniger akademisch betrachten und einfach dem gesunden Menschenverstand überlassen. Der sagt: »Scheiße!«

Ich persönlich behandle das zugegebenermaßen nicht immer einfache Problem nach Josef Kirschner, dessen Buch »Die Kunst, ein Egoist zu sein« mir geholfen hat, als es mir sehr dreckig ging. Drei Monate lang mit einer infektiösen Hepatitis im Krankenhaus wehrte ich mich mit Erfolg gegen lebende Schafsläuse, die man mir zum Schlucken geben wollte.

Alle guten Ratschläge gegen das Altern durch intelligenten Umgang mit dem menschlichen Verfallsdatum hängen weitestgehend von der Situation ab, in der sich das dem Verfall ausgelieferte Individuum zu diesem Zeitpunkt befindet. Fest steht: Früher oder später bist du dran! Also mach das Beste daraus. Kümmere dich nur noch um dich. Mach aus den gegebenen Umständen das Beste für dich. Nur wenn du mit dir selbst zufrieden bist, kannst du auf andere positiv einwirken. Hört sich gut an. Oder?

Als Kind wird man oft gefragt: »Was willst du denn mal werden?« Ich glaube, die Frager haben da schon eine bestimmte Erwartung, was die Antworten der lieben Kleinen betrifft. Lokomotivführer, Fußballspieler, Rennfahrer scheinen bevorzugte Berufe von Kindern zu sein, die mit den Füßen auf der Erde bleiben wollen. Solche, die schon im Kindesalter nach Höherem streben, entscheiden sich eher für Pilot, Astronaut oder Schornsteinfeger. Zu meinem Lebensziel befragt soll ich geantwortet haben: »Unabhängig will ich werden!« Ich kann mich nicht erinnern, wie alt ich bei dieser Antwort war und ob ich überhaupt schon wusste, was Unabhängigkeit bedeutete.

Wann fängt das Altern an? Es gibt junge Alte, alte Alte, manche scheinen bereits alt auf die Welt gekommen zu sein, und dann die, die bewusst vergessen, alt zu werden. Sie können oder wollen nicht alt werden oder sind schlicht und einfach zu dumm, dem Unabänderlichen mit Anstand zu begegnen. Rosa Hemden, bis zum Nabel geöffnet, schwere Goldketten mit Kreuz auf gefärbtem Brusthaar, das sind vergebliche Versuche, darüber hinwegzutäuschen, dass im Ernstfall nur noch Viagra über die Runden hilft. Das dazu notwendige Körperteil wird in betont engen, künstlich durchlöcherten Jeans zur Schau gestellt. Im Kopf nicht viel, oben drauf gar nichts, oder aber eine künstliche, in beliebigen Farben und Längen erhältliche Spielwiese. Diese »Playgreise« werden gern in einschlägigen Blättern oder TV-Magazinen als »ewig jung« angeboten, obwohl es angebracht wäre, sie einfach zu übersehen.

Zu welcher Altenart gehöre ich eigentlich? Ich vermag mich da nur schwer zu kategorisieren. Wann begann bei mir das Unabänderliche? Vielleicht, als ich mit zwölf anfing zu rauchen? Oder war es, als ich als Vierzehnjähriger auf dem Düsseldorfer Rathausturm beim ersten Bombenangriff die halbe Altstadt mit einem Teil der Bevölkerung in die Luft fliegen sah?

Oder vielleicht, als ich mit achtzehn Jahren, am 2. Mai 1945, bei Bad Kleinen in russische Kriegsgefangenschaft geriet und mit an Sicherheit grenzender Wahrscheinlichkeit davon ausgehen konnte, liquidiert zu werden?

War es ein paar Monate später im Bergwerk, tausend Meter tief, im siebzig Zentimeter niedrigen Streb, vor Angst zitternd, wenn der Berg sich unter Donnergrollen über mir bewegte? Aus dieser Zeit stammt die Platzangst, unter der ich heute noch leide. Aufzüge in hohen Häusern zum Beispiel, wenn sie eng sind und nicht verspiegelt, bereiten mir Atemnot. Wenn so ein Käfig dann auch noch ein bisschen ruckelt, habe ich wieder das Gefühl, mit zwanzig anderen Kumpels in einen Förderkorb gepresst mit sieben Meter pro Sekunde in die Tiefe zu rasen, nicht wissend, ob wir je wieder ans Tageslicht kommen!

Oder bin ich alt geworden, als ich die Dreharbeiten zu dem Film »Die feuerrote Baroness« in Berlin unterbrechen musste, um nach München zu fliegen, wo meine Frau nach einer Fehlgeburt mit dem Tod rang?

Bin ich alt geworden, als unser Sohn Thomas innerhalb von acht Monaten einundzwanzig Eingriffe in Vollnarkose überstehen musste, und wir nicht wussten, ob wir ihn verlieren würden?

Für jeden Menschen gibt es Ereignisse, die ihn im Innersten aufwühlen, ihn verändern, sein Denken in andere Bahnen lenken, ihn reifer machen, erfahrener, älter eben. Wie der Einzelne solchen Situationen begegnet, das hängt zum großen Teil davon ab, wie unabhängig er ist, ob er frei entscheiden kann, in welchem sozialen Umfeld er lebt.

Wann ich mit dem Älterwerden begonnen habe, weiß ich also nicht mehr. Aber ich erinnere mich daran, dass ich bei meiner Altersangabe immer log. Nach oben. Immer so um die zwei Jahre drauf. Meine Umgebung lachte darüber. »Wart' mal, bis du zwanzig bist ...!«

Dreißig, vierzig, fünfzig, sechzig, es blieb so. Ich machte mich immer älter. Scheint ein Tick zu sein bei mir. O.W. Fischer, der Große, von mir damals bewundert, nannte mich mal bei einem Streitgespräch

»junger Freund« – womit er bei mir verschissen hatte. »Junger Freund« war für mich gleichbedeutend mit »noch nicht trocken hinter den Ohren«. Ich fühlte mich nicht für voll genommen, schlichtweg eine Beleidigung. Auf »junger Mann« reagiere ich heute, mit bald dreiundachtzig, immer noch allergisch, obwohl ich weiß, dass es scherzhaft gemeint ist. Ich kann's einfach nicht hören. Ein paar Macken hat doch jeder. Basta! Hängt vermutlich mit der manchmal unterentwickelten Vorstellungskraft von Filmproduzenten oder Regisseuren zusammen. »Zu jung ...« ist eine gern gebrauchte Ausrede, wenn sie dich nicht in einer Rolle sehen, die du gern gespielt hättest.

Neulich soll einer der Mächtigen, die im Auftrag der Anstalten des Öffentlichen Rechts produzieren, über mich gesagt haben: »Der ist zu alt, um einen alten Mann zu spielen ...!«

Der Mann weiß Bescheid!

»Wie alt wollen Sie denn werden?«, werde ich oft gefragt.

»Ich möchte so lange leben, wie mein Kopf einwandfrei arbeitet!«

»Wollen Sie so alt werden wie Heesters?«

»Bitte nein!«

»Warum nicht?«

»Weil ich unabhängig bleiben will!«

»Sind Sie's?«

»Ich glaube ja!«

»Was heißt, Sie glauben ...?«

»Ich kann ablehnen, wenn mir ein Angebot nicht gefällt!«

»Tun Sie's?«

»Immer öfter. Gute Angebote werden seltener.«

»Was haben Sie zuletzt gemacht?«

»Für ARD und ORF ›Live is Life‹, eine köstliche Komödie, die im Altenheim spielt, dessen Insassen dagegen rebellieren, wie unmündige Kinder behandelt, bevormundet und drangsaliert zu werden. Leider wurde der Titel umgeändert in ›Die Spätzünder‹, was meiner Meinung nach schon an Diskriminierung für uns alte Leute grenzt. Wir sind keine Spätzünder, sondern Menschen, die nach einem langen Arbeitsleben ihren wohlverdienten Frieden und ihre Ruhe suchen. Was heißt da ›Spätzünder‹?«

Zwischen Toleranz und Wurstigkeit

Jetzt kommt eine Monumental-Platitude: Ob Karl Marx oder Friedrich Engels, Karl Liebknecht oder Rosa Luxemburg, ob Franz Müntefering oder »Reichtum-für-alle-Gregor-Gysi«: Soziale Unterschiede gab es, gibt es und wird es immer geben. Alle Versprechungen, diese soziale Ungerechtigkeit zu beseitigen, sind mehr oder weniger gut gemeinte Illusionen, meist aber nur demagogisches Politikergefasel. Die Rattenfänger sind mit ihren »Ismen« unterwegs. Kommunismus, Sozialismus, Kapitalismus, Liberalismus, Buddhismus, Humanismus und sonst noch was. Alle »Ismen« sind idealistische oder ideologische Ideen, die nicht funktionieren, weil Menschen nicht danach gemacht sind. Für Ismen sind wir eine glatte Fehlkonstruktion. An die sechs Milliarden Individuen, bei unterschiedlichen Lebensbedingungen in unterschiedlichen politischen Systemen, lassen sich nicht »ver-ismen«, lassen sich nicht über einen Kamm scheren.

Zu welcher Alten-Art gehöre ich eigentlich? Junger Alter, alter Alter, alt geboren? Wenn ich mich selber einstufe, würde ich sagen: ein Alt-Alter. Abgesehen von den zunehmenden Wehwehchen bin ich gerne alt. Genieße den mir erwiesenen Respekt, freue mich, wenn Regierende erzählen, dass sie am Abend meine Sendungen sehen durften, wenn sie am Nachmittag ihre Schulaufgaben anständig gemacht hatten.

Bundespräsident Herzog nannte mich im Gedränge vor der Münchner Staatsoper »Freudenspender seiner Freizeit«. Donnerwetter! Ministerpräsident Horst Seehofer verkündete den Fotografen, als er mich im Defilee zu seinem Neujahrsempfang entdeckte: »Dort kommt meine Jugend, mit dem Blacky bin ich aufgewachsen!« Auch nicht schlecht.

Also sind wir Alten bei den jungen Mächtigen doch was wert. Vielleicht könnten wir eine Art GPS sein, ein »Navi« für die Jugend. »Wenn möglich, bitte wenden« – »nächste Straße bitte rechts« – »im Kreisverkehr zweite Ausfahrt!« Möglicherweise wäre damit vielen geholfen, die die Orientierung verloren haben und keinen Ausweg finden. Es scheinen immer mehr zu werden.

Auf der anderen Seite: Das Altengefasel »Früher war alles besser« kann ich nicht mehr hören. Stimmt ja auch nicht. Früher war keineswegs alles besser, vieles war anders. Als wir jung waren, war die Welt weniger kompliziert, denke ich. Das Angebot war geringer, die Verwirrung kleiner. Die Menschen konnten ihre Angelegenheiten noch selber regeln, eigene Entscheidungen treffen. Es wurde ihnen nicht so viel dreingeredet oder vorgeflunkert, von allen möglichen und unmöglichen Organisationen, die vorgeben, ihre Interessen zu vertreten. Im Lauf der Zeit haben wir uns einlullen lassen, haben uns daran gewöhnt, dass andere sich um unseren Dreck kümmern, für Geld natürlich, und uns mit falschen Versprechungen die Sorgen nehmen, die uns mehr und mehr bedrücken und überfordern. Wir haben verlernt, uns um uns selbst zu kümmern, und merken, dass wir mehr oder weniger schleichend entmündigt werden. Der »mündige Bürger« wird Mangelware. Wer ist damit denn überhaupt gemeint? Die revoltierenden Jungen, die im Komasaufen verblöden? Die resignierenden Alten, die sich auf Parkbänken oder am Stammtisch über die schlechten Zeiten beklagen?

Die Parteien verstricken sich mehr und mehr im Machterhalt um jeden Preis, machen sich gegenseitig schlecht, bezichtigen sich ungeniert der Unfähigkeit oder der Unlauterkeit und untergraben damit jeglichen Respekt vor der Obrigkeit.

Die Gewerkschaften kommen drauf, dass die zu Recht und notwendig erkämpfte Macht beginnt, sich gegen sie selbst zu richten.

Die Kirchen verlieren viele ihrer Gläubigen, weil sie im Zeitalter weltweiter Kommunikation weiterhin auf ihren nicht mehr haltbaren Dogmen und Glaubenssätzen bestehen.

Der Staat ist zu einem aufgeblähten Bürokratiemonster geworden und zu einem Selbstbedienungsladen, dem die Bürger in zunehmendem, langsam beängstigendem Maße die Achtung verweigern.

Also wohin?

Sollen wir auf den Rat der Weisen hören – oder eher auf die Sachverständigengremien? Ziehen vielleicht die Untersuchungsausschüsse die diversen Karren aus dem Dreck?

Wenn gar nichts mehr geht, haben wir ja immer noch die Schlichtungskommissionen. Die werden's schon richten. Oder?

Wo bin ich da hingeraten? Ist das nun seniles Resignationsgewäsch oder berechtigte Altersrevolte? Ich will weder ein Klagelied anstimmen noch auf die Barrikaden steigen, will weder Jammerlappen noch mürrischer alter Mann sein. Was mich beschäftigt, ist der Unterschied zwischen Toleranz und Wurstigkeit. Wo beginnt das eine, und wo hört das andere auf? Ich habe das Gefühl, im Alter immer intoleranter zu werden. Ich lasse mir immer weniger gefallen, es sei denn, mir ist etwas vollkommen egal. Ich kann mich nicht mehr für alles interessieren, schon gar nicht verantwortlich fühlen. Wenn du spürst, dass deine Zeit begrenzt ist, ach was, wenn du weißt, dass der Vorhang jeden Augenblick fallen kann, musst du selektieren. »Was will ich noch?« Das ist eine, wenngleich relativ begrenzte Möglichkeit. So viele hast du ja gar nicht mehr. Der andere Weg scheint mir realistischer: »Was will ich nicht mehr?« Das wiederum ist eine ganze Menge.

Nach zahlreichen, manchmal vergeblichen, natürlich auch zeitbedingten Versuchen hatte ich das Glück, dem Filmregisseur Paul May zu begegnen. Der Sohn von Peter Ostermeyer, Gründer der Bavaria Filmstudios in München-Geiselgasteig, sollte nach der Vorlage von Hans Helmut Kirsts Roman »Die abenteuerliche Revolte des Gefreiten Asch« den Film »08/15« drehen. Er kam auf die ebenso abenteuerliche Idee, mir die Rolle der Titelfigur anzubieten. Einem absoluten Laien, einem Nichtschauspieler. Das Ergebnis führte zu meiner endgültigen Berufswahl. Mit dieser Rolle, in diesem Film, zu dieser Zeit, mit diesem Regisseur war der Erfolg vorprogrammiert. Millionen Zuschauer schenkten dem Leinwandgrünschnabel ihre nachhaltige Zuneigung. Davon lebe ich bis heute. Ich hatte großes Glück, habe gut verdient – ob verdient oder unverdient, diese Beurteilung überlasse ich gerne allen, die sich dazu berufen fühlen.

Philemon und Baucis

Das größte Glück und bestimmend für mein Leben war die Begegnung mit einer ausnehmend hübschen jungen Dame namens Gundula Maria, Tochter eines Rechtsanwalts, Komponisten, Dichters und

Sängers. Diese Vielseitigkeit war gleichzeitig auch sein Problem. Die standesbewusste Anwaltskammer wollte sich mit seiner »Tingelei« nicht abfinden. Möglicherweise war es vor allem seine Zugehörigkeit zum Kabarett »Die Elf Scharfrichter« als »Frigidius Strang«. Man stellte ihn kurzerhand vor die Entscheidung: entweder weiterhin ehrenwertes Mitglied der Anwaltskammer – oder weiter auf dem Schwabinger Abweg. Ich habe meinen Schwiegervater leider nicht mehr kennen gelernt. Er muss ein bemerkenswerter Mann gewesen sein. Gern hätte ich ihn gefragt, woran er zuerst dachte, als er sich kurz entschlossen auf den Weg zur Anwaltskammer machte, um sein Verbleiben im Reich der Paragrafen kundzutun. Fiel die Entscheidung unter dem Druck des Standesbewusstseins, fiel sie in der Vorausschau auf eine mögliche Altersversorgung? Auf jeden Fall kann ich ihn nicht nur gut verstehen, sondern bewundere ihn dafür, dass er auf der Treppe kehrtmachte und seine Entscheidung widerrief.

»Ich bleibe lieber Lautensänger, Poet und Schriftsteller«, verkündete er den erstaunten Rechtsvertretern und ging. Für immer. Vermutlich befreit und auch stolz darauf, seinem Gefühl und nicht einem Versorgungsdenken gefolgt zu sein. Wie recht er hatte, erfuhr er später, als ihm begeisterte Studenten in

Berlin die Pferde vor seiner Kutsche ausspannten und ihn im Triumph über den Kurfürstendamm zogen.

Ich bin überzeugt davon, dass schon in den frühen Jahren eines Menschenlebens die Weichen für das Alter gestellt werden. Dabei darf es weniger auf die Versorgung ankommen als vielmehr auf Zufriedenheit mit dem, was man tut – oder noch mehr – mit wem man das tut. Das ist für mich das Wichtigste. Jeder Mensch kommt in Situationen, in denen er jemanden braucht, der ihm zeigt, wo es langgeht, wenn er an die Mauer rennt. Der wichtigste Lebensabschnitt für mich war der Übergang vom »Nichts anbrennen lassen – nur nichts auslassen« zum »Da gehör' ich hin – da bin ich daheim, und da bleibe ich«.

Wie man das schafft? Verdammt schwer. Es ist die konsequente Abkehr vom »Ich« zu einem bedingungslosen Bekenntnis zum »Wir«. Leichter gesagt als getan, ich weiß, aber wenn man es geschafft hat, merkt man, wie viel leichter das Leben wird, wenn man Freud und Leid mit einem Partner teilen kann. Freude wird verdoppelt, Leid halbiert.

»Mit vollen Hosen kann man gut stinken« – ein wenig feiner Spruch, aber er stimmt. Heute, nach sechsundfünfzig Jahren Ehe, wissen meine Frau und ich, wovon wir reden.

An unserem Hochzeitstag im Jahr 1954 habe ich meiner vierundzwanzig Jahre alten Braut den Brocken zu verdauen gegeben: »Ich glaube, ich kann gut verdienen und ein Leben lang für dich sorgen, und sollten wir Kinder haben, auch für die! Sollten wir aber irgendwann mal kein Geld mehr haben, ist es deine Schuld!«

Gundula hat das nicht nur zur Kenntnis genommen, sondern von Anfang an dafür gesorgt, dass nichts verplempert wurde. Mit strenger Hand hielt sie die Finanzen zusammen und achtete darauf, dass jede Investition wertbeständig war. Wir waren da nicht immer einig, aber sie hatte immer recht. Gelernt hatte sie das bei ihrem Vater, der, wie sie mir nicht gerade schmeichelhaft sagte, ein ähnlicher Schlamper gewesen sei wie ich. Akkuratesse und Eifer erschöpften sich meinerseits im Beruf. Aber auch als Dompteuse zeigte Gundula beachtliches Talent. Schon zu Beginn unserer Ehe wurde klar, dass sie im Begriff war, mich zum gefügigen Untertanen zu machen und zu dem zu werden, wie ich sie seit Jahren nenne: »Meine Regierung«! Sie wurde zur einzigen Obrigkeit, die ich akzeptiere, weil ich weiß: Was sie tut, tut sie zu meinem Besten, auch wenn ich manchmal nicht sofort begreife, was das Beste für mich ist. Vom Augenblick an, als ich verstanden hatte, dass Frauen intuitiver sind als Männer, ging es mir schlagartig besser. Ich überließ ihr Entscheidungen, die mich belasteten. Bei meinen großen Sendungen in der ARD durften nur sie und mein Berater, Eckhard Schmidt, mich kurz vor dem Auftritt noch ansprechen. Wir fanden die Formel für unser Zusammenleben bis heute: Gundel entschied alle kleinen Probleme, also wie viel ich verdienen musste, wer das Geld verwaltete, wie unser Sohn erzogen wurde, wo und wie wir wohnen würden etc. Ich war dafür zuständig, ob China in die Vereinten Nationen kam, die Bundesrepublik wiederbewaffnet und wer Kanzler wurde. Zum Beispiel.

Sobald ich diese Spielregeln begriffen hatte, ging es mir bemerkenswert gut bis ins hohe Alter, egal, was immer mir auch wehtat und -tut. Und langsam ist das eine ganze Menge. Wir alle klagen ja ganz gern, wenn auch auf hohem Niveau. Aber wenn man seiner Umgebung ständig alle Wehwehchen unter die Nase hält, steht man mit seinen Hühneraugen, eingewachsenen Zehennägeln, Bauchgrimmen, Blutdruck, Herzflimmern und was das Alter sonst noch so zu bieten hat, bald auf wackeligen Beinen allein da. Also reißen wir Alten uns besser zusammen und behalten die diversen Zipperlein für uns. Allerdings können wir uns mit allen Sorgen nachfolgenden Berufsgruppen jederzeit und hemmungslos anvertrauen: Friseurinnen, Physiotherapeutinnen, Kosmetikerinnen, Ärztinnen, Taxifahrerinnen, Briefträgerinnen. Das ist natürlich die Auswahl für Männer. Das Gleiche gilt aber uneingeschränkt für die männlichen Vertreter dieser Berufsgruppen. Sie alle erweisen sich im Ernstfall als geeignete Seelenmülleimer.

Fassen wir also zusammen: Wichtig für ein harmonisches Zusammenleben bis ins Alter sind zwei grundsätzliche Erkenntnisse.

Erstens: Partner sollen zwar ineinander aufgehen, sozusagen eins werden, keinesfalls aber des anderen Eigentum werden.

Zweitens: Die blödsinnige Aufteilung von Aufgaben nach dem Geschlecht. Die Frau ist zuständig für die drei großen »K« – Kinder, Küche, Kirche.

Der Mann geht hinaus ins feindliche oder freundliche Leben, wo er mehr sich selbst, nebenher aber auch die Familie unterhält. Oder?

Bei uns stellte sich eben heraus, dass meine Frau ein ausgesprochen organisatorisches Talent ist und mit meinem verdienten Geld besser umgehen konnte als ich selbst. Mit Messer und Gabel wusste sie eben so trefflich umzugehen, aber um die Herstellung dessen, was man mit den Essgeräten zu sich nimmt, war es weniger gut bestellt. Da lagen die Fähigkeiten nun mal mehr bei mir. Also kümmerte sie sich ab sofort um die Finanzen, während ich mit Pfannen und Töpfen für unser leibliches Wohl sorgte. Das ist bis heute so. Allerdings gebe ich zu, dass sie sich im viel zu schnell vergangenen letzten Halbjahrhundert meine Kochkünste bis zur Perfektion angeeignet hat, während ich nach wie vor große Schwierigkeiten habe, einen Bankauszug richtig zu lesen. Alle Konten kennt Gundula auswendig, während ich keine Ahnung habe, ob oder wie viel da überhaupt drauf ist. Gerne lässt sie sich von mir zu unserer Bank fahren. Aus Parkschwierigkeitsgründen bleibe ich vor der Bank im Wagen sitzen und warte geduldig auf die Hand voll Bonbons, die sie mir mit einem Gruß der Schalterbeamtin aushändigt. Von den getätigten Transaktionen teilt sie mir netterweise, unter Vermeidung aller Details, noch mit: »Alles o.k.!«

Damit weiß ich dann, dass wir trotz der durch Transaktionen vieler Banken und Banker hereingebrochenen Krise derzeit noch eine halbwegs gesicherte Zukunft haben. Trotz großer finanzieller Schwierigkeiten aller Film- und Fernsehproduzenten, die mit neuen Produktionen von den Sendeanstalten mit der Begründung kurzgehalten oder lahmgelegt werden: »Wir haben kein Geld!«

So habe ich derzeit kein Einkommen aus diesbezüglicher Tätigkeit, bin also eigentlich arbeitslos und mache mir Gedanken. Zum Beispiel über die Frage: »Wo bleiben die Milliarden Euro aus den Zwangsgebühren der Fernsehzuschauer?«

Nach jedem Bankbesuch, den Bonbons der Beraterin und Gundels Kurzkommentar »Alles o.k.!« habe ich allen Grund, in ihre großen blauen Augen zu schauen und ihr für die Finanzgestaltung unseres ganzen Lebens bis ins hohe Alter zu danken.

Mir ist schon klar, dass da eine Zeit war, in der ich für die selbst gewählte Abhängigkeit von meiner Ehefrau belächelt, ja bemitleidet wurde. Kategorie Pantoffelheld. Damit hatte ich kein Problem. Heute werde ich von den gleichen Leuten, so sie noch leben, beneidet.

Apropos noch leben. Als wir 1954 heirateten, brach im engeren Kreis um uns herum eine Art Hochzeitsepidemie aus. Kaum ein Paar ist noch zusammen. Einige hat das Schicksal getrennt, durch Krankheit und Tod. Andere haben die Anstrengungen nicht geschafft, aus einem leidenschaftlichen Übereinanderherfallen eine dauerhafte und verständnisvolle Partnerschaft zu formen. Viele sind sich einfach nur auf die Nerven gefallen oder haben sich schlicht und einfach miteinander zu Tode gelangweilt. Wenn wir aushäusig unterwegs sind, ist es für uns alte Ehehaudegen fast zu einem Sport geworden, Paare zu beobachten, die sich gegenübersitzen und kein Wort miteinander reden, sich einfach nur anöden. Im Restaurant zum Beispiel. Beim Frühstück, Mittag- oder Abendessen: Sie sitzen da und schweigen sich an, vermeiden, sich anzusehen, ihre Augen suchen verzweifelt in der Gegend herum, ob sich vielleicht etwas Sehenswerteres als der Partner am Tisch im Raum aufhält. Einigen verhilft die Speisekarte gerade noch zu einem minimalen Gedankenaustausch über den augenblicklichen Gusto, die damit verbundenen Kosten und, wenn's hochkommt, auch noch die nicht einfach zu lösende Frage des unterschiedlichen Getränkewunsches. Danach herrscht wieder Schweigen. Das war's dann.

Irgendwann saßen Gundel und ich beim Frühstück, zu Hause. Wir waren mit der Herstellung unserer gänzlich verschiedenen Morgenmahlzeiten beschäftigt. Sie bevorzugt Cornflakes, mit Blaubeeren und laktosefreier Milch, Fettgehalt 1,5%. Ich hingegen beginne den Tag mit einem bestimmten Bauernbrot der Sorte 1331 aus der Hofpfisterei, oder mit einer Brezn vom Bäcker Hauer in Grünwald. In beiden Fällen muss die Butter so aufgestrichen sein, dass sich die Zähne darin abbilden. Dazu kommt ein ungefähr fingerdicker Belag von geräucherter, grober oder feiner Leberwurst.

Normalerweise beginnt spätestens dann unsere Konversation mit der immer gleichbleibenden Feststellung meiner Regierung: »So wirst du nicht abnehmen!«

Darauf wartete ich auch an diesem Tag. Es kam anders.

»Soso!«, sagte sie, sonst nichts. Ich dachte nach, konnte aber beim besten Willen nichts finden, was dieses »Soso« hätte auslösen können. Notgedrungen fragte ich: »Was heißt soso ...?« »Nichts, nur damit wieder mal was gesagt wird. Sonst meinen die Leute, wir hätten uns auch nichts mehr zu sagen ...!« »Die Leute ...? Welche Leute?« Wir saßen in unserem Haus am Frühstückstisch! »Ich dachte ja nur ...«, sagte sie, und wir fingen an zu lachen.

»Also, damit wieder was gesagt wird«, sagte ich, »ich liebe dich!« Weil man das gar nicht oft genug sagen kann.

»Soso« ersetzt inzwischen umständliche Einleitungen zu einem umfangreichen Gedankenaustausch über Vorgänge, die wir um uns herum beobachten.

»Soso« hat uns darauf aufmerksam gemacht, dass auch wir manchmal dasitzen und schweigen. Nicht weil uns nichts einfällt, worüber wir reden könnten, sondern weil wir feststellen, dass wir an das Gleiche gedacht haben, Gedankenaustausch ohne Worte. Vielleicht die höhere Stufe der Gemeinsamkeit?

Es könnte jetzt der Eindruck entstehen, dass bei uns nur eitel Wonne und Sonnenschein herrschen. Bei Weitem nicht. Manchmal kracht es heftig, bisweilen sind wir unterschiedlicher oder gegenteiliger Meinung. Wir streiten, vertreten nachhaltig bis stur die eigenen Ansichten. Wo möglich lassen wir uns vom Partner überzeugen, manchmal aber auch nicht, immer aber versuchen wir wenigstens, Meinungsverschiedenheiten im Respekt voreinander auszutragen, dem Partner nicht wehzutun, ihn nicht zu verletzen.

Was hat das nun alles mit dem Alter zu tun?

Viel, sehr viel! Die »bessere Hälfte«, wer immer das in einer Partnerschaft sein mag, hetero, schwul oder lesbisch, ganz egal: Die bessere Hälfte sollte, müsste, könnte der Rettungsring sein, wenn das Wasser bis zum Hals steht, das Geländer oder Halteseil beim halsbrecherischen Auf- oder Abstieg, der Fallschirm beim freien Fall aus Höhen, in denen die Luft zu dünn wurde. Warum ich das in den Konjunktiv setze? Weil es so selten geworden ist mit den besseren Hälften, weil es das kaum noch gibt, dass man ohne »Wenn« und »Aber« für den Partner da ist, Freud und Leid miteinander teilt, zusammen durch dick und dünn geht, sich bei der Hand nimmt und sagt: »Das schaffen wir!«

Das hört sich jetzt an wie aus einem Lehrbuch für Paarungswillige. Gebe ich ja zu, ist aber eher fünfeinhalb Jahrzehnte gemeinsam praktizierte Lebenserfahrung. In dieser langen Zeit waren wir oft Seelenmülleimer, Schutthalde für zerbrochene Illusionen, erfolglose Ratgeber für viele, bei denen nicht nur die Ohren, sondern auch die Herzen verstopft waren. Bei einigen möglicherweise nur das Hirn.

Da fallen mir Philemon und Baucis ein, das alte Ehepaar aus der phrygischen Sage. Hand in Hand saßen sie auf der Bank vor ihrer ärmlichen Hütte und warteten auf den gemeinsamen Tod. Als Einzige boten sie den Göttern Jupiter und Merkur auf ihrer Wanderung Gastfreundschaft und Unterkunft. Daraufhin überschwemmten die Götter die gesamte Umgebung, die Hütte ihrer Gastgeber aber verwandelten sie in einen prachtvollen Tempel. Als Jupiter ihnen darüber hinaus noch eine Bitte freistellte, wünschten sich beide als Priester des Tempels irgendwann gemeinsam zu sterben. So wurde Philemon im hohen Alter in eine Eiche, Baucis in eine Linde verwandelt.

In unserem Garten stehen zwei hohe Bäume. Eine

mächtige Buche und eine selten schöne, hohe Birke, Ob Buche oder Eiche, Birke oder Linde, unsere Bäume heißen Philemon und Baucis und sind unsere Lebensbäume. Wir sitzen oft Hand in Hand auf der Bank, reden über dies und das, dann und wann auch über den »großen Abschied«, nicht weinerlich, nein, sachlich und realistisch über die wohl wichtigste Frage nach einem so langen, gemeinsamen Leben: Wer wird zuerst gehen, den anderen allein lassen? Wenn es uns nicht beschieden ist, zusammen Hand in Hand zu gehen, ob sich die Götter Jupiter und Merkur vielleicht nicht auch unser annehmen könnten?

Von der Strampelhose bis zum letzten Hemd

Irgendwann beginnt das Alter sich bemerkbar zu machen. Unüber-hörbar, unüber-sehbar und unüber-spürbar. Die Sinne und der Bizeps verabschieden sich langsam, schleichend, aber unaufhaltsam. Die Hand wird müde, beginnt zu zittern, die Stimme wird brüchig. Abschied auf leisen Sohlen. Aber da kann man sich wenigstens mit Hörgerät, Brille und Pille noch halbwegs über die Runden bringen.

Hilflos stehst du jedoch da, wenn die Freunde gehen, einer nach dem anderen, und du kannst sie nicht halten. Du hörst Worte des Abschieds, denkst an gemeinsam Erlebtes, Erlittenes. Man trägt Schwarz und entbietet schweigend das letzte Adieu.

Mit besonderer Aufmerksamkeit folge ich deshalb seit einigen Jahren dem Gebet, das am Schluss der Beerdigungszeremonie für den nächsten Sterbeaspiranten aus der versammelten Runde gesprochen wird. Danach gehst du mehr oder weniger freiwillig zur nachfolgenden »Schmerzverdrängungsparty«, auch Leichenschmaus genannt, machst gute Miene zum traurigen Spiel und eine dem Anlass entsprechend gequälte Konversation, die zunehmend heiterer wird und gelegentlich in einem fröhlichen Besäufnis endet. Dabei verblasst dann langsam das Bild des Dahingeschiedenen. Und das war's dann auch.

Unsere Freunde Edith und Erich Glowatzki waren so ein Paar. Edith, Berliner Jüdin, geflohen vor den Nazis im Jahr 1933, so weit weg wie nur möglich, nach Sydney, Australien.

Erich, gebürtiger Sachse, im Jahr 1935 als Ingenieur auf einem deutschen Frachter. Bei der Einfahrt in den Hafen von Sydney erfuhr die Besatzung, dass das Schiff an eine australische Shipline verkauft sei. Den Offizieren bot man die Gelegenheit, weiter auf dem

Frachter Dienst zu tun, Voraussetzung sei die Mitgliedschaft bei der australischen Seemannsgewerkschaft. Erich Glowatzki wollte nicht und ging mit seiner angesparten Heuer von Bord.

In einem fremden Land, dessen Sprache er nicht sprach, fing er an, Klinken zu putzen, zottelte von Tür zu Tür, um seine Dienste als Installateur anzubieten, tropfende Wasserleitungen abzudichten, verstopfte Toiletten durchzupusten etc.

In irgendeinem Wonnemonat des Jahres 1936 trafen Erich und Edith aufeinander. Im Krankenhaus. Erich als Patient, Edith als Krankenschwester. Sie erfreuten sich herzerfrischender Konversationen auf Berlinisch und Sächsisch. Beide hatten das, was auf dem Fünften Kontinent immer ankommt: »A great sense of humour«. Schnell stellten beide fest, dass das Schicksal sie wohl nicht zufällig auf der anderen Seite der Erde zusammengeführt hatte. Da musste wohl mehr dahinterstecken. Sie heirateten und bastelten emsig an ihrer gemeinsamen Zukunft. Erich wurde erfolgreicher Stahlbauer, baute den berühmten, doppelstöckigen »Cahill Expressway« die Sydney Harbour Bridge hinauf, legte Pipelines, baute Brücken und Bohrtürme, wurde Multimillionär.

Erich und Edith Glowatzki sind tot. Ihr Leben wäre ein Buch wert. Und was für eins. Jetzt aber brauche ich Erich und Edith als Beispiel für mein Buch über Lust und Last, Freud und Leid, Erfolg und Pleiten auf dem mühsamen Hindernisrennen von der Strampelhose bis zum letzten Hemd.

Über zwei Jahrzehnte haben wir an ihnen erlebt, wie man in Würde und mit Humor alt wird. Bei einem ihrer Besuche in München haben wir Edith und Erich ins »Tantris« eingeladen, Nobel-Restaurant des Drei-Sterne-Kochs Heinz Winkler. Zwischen Suppe und Hauptgang erwähnte Erich ganz nebenbei:

»Heut feiern wir beede unsern fünfundvierzigsten Hochzeitstag«, und lächelte seine schon etwas betagte »Braut« an.

Ich schickte einen Zettel zu Heinz Winkler in die Küche: »Lass dir zum Nachtisch was einfallen.« Er brachte eine schneeige Köstlichkeit in Form einer kleinen Torte. Edith sah sie skeptisch an: »Wat is denn det?« »Ein Gruß aus der Küche, zu Ihrem Hochzeitstag«, sagte der Meister. Edith probierte, sah in die Runde und meinte: »Ick jlobe, der Winkler denkt, ick hab keene Zähne mehr!« Erich sah seine Frau an und meinte auf Sächsisch: »Wenn der wüsste, was de für Zähne hast un wie viel Haare da drauf sind!«

Das Leben meinte es unterschiedlich gut mit beiden. Edith wurde zu einem Pflegefall, Erich blieb fit und betrieb nicht nur weiter seine Geschäfte, sondern trieb sich auch in der weiten Welt herum. Edith wurde eifersüchtig, warf ihm ständig seine ungebrochene Lebensfreude vor. Natürlich verletzte ihn das. Es gab Streit. Aber Erich sorgte mit allem, was ihm zur Verfügung stand, für die Frau, die ihn ein Leben lang durch dick und dünn begleitet hat. Zusehends schwanden ihre Kräfte, sie gab auf.

Nach qualvollen Leiden eigentlich eine Erlösung, für beide. Doch Ediths Tod beendete auch Erichs Lebensfreude. Er verkaufte sein Unternehmen und kam nach Deutschland zurück. Bei einem seiner letzten Besuche in unserem Haus fiel uns auf, dass er einen mitgebrachten kleinen Koffer mit besonderer Aufmerksamkeit behandelte. Nur ungern stellte er ihn in der Garderobe ab.

»Was ist denn so ungeheuer Wichtiges drin?«, wollten wir wissen.

»Die Edith«, sagte er und begann zu weinen.

»Ich war oft alleene, aber de Edith war noch da! Jetzt, wo se weg is, bin ich alt un hab ooch bald keene Lust mehr!«

Er nahm den kleinen Koffer.

»Ich hab für uns beide ein letztes Grundstück gekauft. Dort soll se hin – helft ihr mir?«

Das letzte Grundstück war ein Doppelgrab auf einem kleinen, wunderschönen Friedhof in Fraureuth, einer Fünftausendseelengemeinde in seiner sächsischen Heimat. Dort bestatteten wir Ediths Urne zur letzten Ruhe.

Seiner Heimatgemeinde hinterließ Erich Glowatzki den wesentlichen Teil seines Vermögens, gründete eine Stiftung für Studenten, baute eine bemerkenswerte Mehrzweckhalle und empfing im hohen Alter mit Stolz den Sächsischen Verdienstorden.

»Wenn ich dran bin«, sagte er an einem Abend zu Gundel und mir, »denn macht mit mir das Gleiche wie mit Edith – versprochen?«

Wir haben das Versprechen gehalten. Danke, Edith und Erich.

Ich erinnere mich. Erich hatte natürlich einen Chauffeur, war aber mächtig stolz, dass er seinen dicken Mercedes selbst durch den Verkehr der Viermillionenstadt Sydney bugsierte. Am liebsten ins Hilton Hotel, mitten in der City.

»Da kann ich direkt vor die Tür fahren, alles andere machen die dann. Außerdem ham se dort die besten Steaks in der Stadt, und ich sitz immer am gleichen Tisch.«

»Warum lässt du dich denn nicht hinfahren?«

»Nee, das macht keenen Spaß. Und außerdem, in Sydney gibt's nicht mehr viele, die mit fünfundachtzig noch fahren dürfen. Grade hab ich die Prüfung gemacht!«

»Was für eine Prüfung?«

»Na – Sehen, Hören, Reaktion und so ...! Ab siebzig. Alle zwei Jahre. Und ab achtzig jedes Jahr! Da musste dann ooch fahren. Man könnte ja zu alt werden für's Auto! Nicht so wie in Deutschland, da haste den Schein für's ganze Leben.«

Andere Länder, andere Gesetze.

Wie recht er hatte. Ich hab's am eigenen Steuer erfahren.

Ein Streifenwagen der Polizei am linken Straßenrand. Kurz vor der Einfahrt zu unserem Haus in Hobart, Tasmanien. Der Polizist bemerkt, wie ich im Vorbeifahren den Sicherheitsgurt löse. Er folgt mir, den langen Weg hinunter zu unserem Haus am »Nutgrove Beach«.

Ich fahre in die offene Garage, der Streifenwagen setzt sich dicht hinter mich. Stoßstange an Stoßstange, das machen die dort so, wegen Fluchtgefahr! Wir steigen aus, stehen uns gegenüber. Der Officer beginnt die Unterhaltung: »Du weißt, was du gemacht hast?«

»Nein!«

»Du hast deinen Sicherheitsgurt während der Fahrt abgemacht!«

»Erst als ich auf mein Grundstück fuhr!«

»Nein, schon vorher!«

»Kann sein, vielleicht ein paar Meter!«

»Bitte deinen Führerschein!«

Er konzentriert sich auf meinen internationalen Führerschein.

»Wo ist deine Originallizenz?«

Ich reiche ihm meinen deutschen Führerschein aus dem Jahr 1946. Der sieht entsprechend aus. Der Officer hält ihn zwischen zwei Fingern, schüttelt den Kopf.

»Was ist das?«

»Mein deutscher Führerschein!«

»Wie lang ist der gültig?«

»Auf Lebenszeit!«

»Wie alt bist du?«

»Fünfundsiebzig.«

Er überlegt.

»Kann ich deinen Pass sehen?«

»Den hab ich im Haus!«

»Wo ist das?«

Ich schau ihn verständnislos an.

»Wo wohnst du?«

»Hier!«

»Was heißt hier?«

Ich zeige auf das Haus neben uns.

»Na hier, Sandy Bay Road 588!«

»Bist du hier Mieter?«

»Nein!«

»Was dann?«

»Eigentümer.«

Er überlegt.

»Was machst du hier?«

»Dokumentarfilme über Australien für das deutsche Fernsehen!«

»Good on you!«

Dieses »good on you« ist vermutlich der Wendepunkt in dieser Begegnung. Es bedeutet frei übersetzt: »Gut für dich!«, und gilt als besonderes australisches Kompliment. Der Officer konzentriert sich wieder auf den deutschen Führerschein.

»So was hab ich noch nie gesehen – gilt der wirklich auf Lebenszeit?«

Zum Glück besteht er nicht darauf, meinen Pass sehen zu wollen. Er hätte das Visum für »ständigen Aufenthalt« entdeckt, für »Permanent Residents«, und Permanent Residents brauchen eine australische Driver's License. Hätte er bemerkt, dass ich die nicht habe, hätte er mir mit Sicherheit einen Haufen Schwierigkeiten bereitet.

»Ich lüge dich nicht an«, sage ich, halte es aber doch für sicherer, noch ein bisschen anzugeben.

»Dein Ministerpräsident, Jim Bacon, hat mir den Titel ›Crown Commissioner‹ verliehen. Ruf in seinem Büro an und erkundige dich nach mir!«

Er überlegt.

»Okay – diesmal lass ich es gut sein. Nächstes Mal nimm den Sicherheitsgurt erst ab, wenn du aussteigst!«

Und mit einem Blick auf das zugegeben respektable Haus, als dessen Eigentümer ich mich zu erkennen gegeben hatte, setzt er noch hinzu: »Und wenn du hier lebst, mach deine australische Driver's License!«

Immer noch kopfschüttelnd gibt mir der Officer den zerfledderten Führerschein zurück, grüßt und begibt sich zu seinem an meiner Stoßstange klebenden Streifenwagen, wendet betont forsch auf dem Vorplatz und schießt mit durchdrehenden Rädern von meinem Grundstück. Wohl wissend, dass er nach australischem Recht auf privatem Grund keine Handhabe zu irgendwelchen Maßnahmen hat.

Die strenge Alterskontrolle bei der Fahrerlaubnis für alte Leute halte ich für absolut richtig, nebenbei bemerkt!

Offensichtlich hat das Alter in Australien einen anderen Stellenwert als bei uns. Im privaten Bereich wie bei den Behörden. Neben der Driver's License, der wichtigsten Identifikation, die überall gilt, wo man sich ausweisen muss, gibt es eine »Seniorcard« für jeden australischen Staatsbürger über sechzig. Diese Karte bietet beachtliche Vergünstigungen in Kinos, Theatern, öffentlichen Verkehrsmitteln, bei Sportveranstaltungen und wo sonst noch. Ein dickes Heft sagt dir, wo du etwas günstiger kaufen kannst. Mit dieser Seniorcard erspart sich der Inhaber nicht nur eine Menge Dollar, nein, er erfährt generell hilfreiche Aufmerksamkeit. In Zügen und Straßenbahnen sind Plätze für »Aged People« reserviert. An manchen Eingängen findet man die Bitte, älteren Menschen den Vortritt zu lassen.

In Australien ist die Frage »Can I help you?« nicht nur höfliche Floskel, sondern täglich praktizierte Hilfsbereitschaft. Immer wieder werde ich gefragt, was denn der Unterschied sei zwischen hier und drüben.

Ein Beispiel: In der Viermillionenmetropole Sydney findet sich der Fremde nicht so leicht zurecht. Schon gar nicht, wenn er mit dem Auto durch die Stadt fährt und gar noch von irgendwo in der Welt mit Rechtsverkehr kommt.

Ich hatte mich mal wieder total verfranst. An einer Ampel fragte ich den neben mir Stehenden: »Wie komme ich zur Spit Bridge?«

Die Ampel schaltet auf Gelb.

»Nicht einfach zu erklären!«

Ampel auf Grün. Kurzer Blick.

»Just follow me!«

Keine Zeit, ihm zu danken. Mühsam, hinter ihm zu bleiben. Nächste Ampel. Ich schaffe es wieder neben ihn.

»Danke! Sehr nett von dir – ist es dein Weg?«

Ampel auf Gelb – er grinst zu mir herüber. Ampel auf Grün.

»Nein, aber mein Vergnügen! Wenn wir da sind, geb' ich dir ein Zeichen.«

Weg war er. Gute zehn Minuten lotste er mich durch den Verkehr, bis zur Abfahrt zur »Spit Bridge« im Stadtteil Mosman. Eine Lektion für praktizierte Hilfsbereitschaft.

Warum sind die Menschen dort so? Weil es noch nicht so lang her ist, dass alle, die hier ankamen, fremd waren und sich nicht auskannten? Weil Alte und Junge schnell begriffen, dass sie aufeinander angewiesen sind, auf Gedeih und Verderb? Dass sie sich nicht auseinanderdividieren lassen durften, wenn sie überleben wollten. Vielleicht haben sie gerade das von denen gelernt, die sie vertrieben, gepeinigt und oft wie Vieh getötet oder zu Sklaven erniedrigt haben. Die Aborigines, die Ureinwohner, die seit vierzigtausend Jahren in »Tribes« in allen Teilen des Fünften Kontinents leben. Haben die Einwanderer von den Aborigines gelernt, das Alter zu ehren?

Der »Tribe Leader«, der Stammesälteste, wird als letzte Instanz anerkannt, er ist die Summe der Lebenserfahrung des Stammes bis in die Vergangenheit. Die Erfahrungen der Alten werden weitergegeben, nicht in Büchern, sondern in Tausenden von Jahren alten Höhlenmalereien, in Geschichten, Gesängen und Tänzen, die davon berichten, was auf unserer Erde lebenserhaltend und was tödlich ist. Ich bin zutiefst beeindruckt von dem, was wir während unserer Dreharbeiten mit und über Aborigines gelernt haben. Auch dabei spielten das Alter, mindestens aber meine weißen Haare, eine Rolle.

Das Team war nach langem Flug mit einer gecharterten zweimotorigen Cessna am »Uluru« gelandet. Uluru nennen die Stammeszugehörigen ihren heiligen Berg. Touristen kennen den größten Monolithen auf Erden eher unter dem Namen »Ayers Rock«.

Am und um den Uluru herum haben die Aborigines nach ihrer Stammessitte heilige Stätten, »Sacred Places«, errichtet, getrennt für Männer, Frauen und Kinder. Nur diese dürfen die heiligen Stätten betreten. Wie ein magischer Kreis umgibt eine Sperrzone den heiligen Berg. Schwierig für ein beliebtes Ziel von Touristen aus der ganzen Welt. Und noch schwieriger für neugierige Filmteams, die jedes Jahr hier einbrechen, um die mystischen Geheimnisse des Berges zu lüften und aller Welt zu zeigen. Wir waren nicht sonderlich willkommen. Ohne Zustimmung des »Tribe Leader« ging gar nichts.

Bei der ersten Besprechung mit den örtlichen Behörden, meist Weißen, saß er mir gegenüber und schwieg beharrlich. Ein außergewöhnlich gut aussehender Mann, stattliche eins neunzig, sehr dunkle Haut, schneeweißes Haar. Sein Name: Tricker Derek.

Auf alles, was gesagt und verhandelt wurde, zeigte er nicht die geringste Reaktion, er saß da und hörte zu. Nur einmal betrachtete er aufmerksam, wie ich meine Tabakpfeife ausklopfte und eine Zigarette anzündete. Ich hatte eine Idee. Mein Sohn Thomas besorgte im Hotel »Sails in the Desert« ein paar Päckchen Zigaretten. Still legte er sie vor Tricker Derek auf den Tisch.

»Ich bin sicher, du verstehst jedes Wort«, sprach ich ihn an. »Das ist ein kleines Geschenk für deine Leute, egal, ob wir hier arbeiten dürfen oder nicht!«

Keine Antwort.

»Ich verstehe dich gut, du willst nicht, dass wir hier an eurem heiligen Berg drehen. Aber vielleicht können wir mit dem Film helfen, Touristen zu zeigen, was sie hier nicht tun sollen.«

Er hob seine Augen, sah mich an, blieb aber stumm. Ich ließ uns beiden Zeit.

»Vielleicht hast du gehört, dass meine Leute ›Blacky‹ zu mir sagen. Das ist mein Spitzname!«

Hat er verstanden? War da ein Lächeln in seinen Augen?

»Derek, wir haben beide weißes Haar, da ist nur ein kleiner Unterschied zwischen uns: Du bist schwarz, ich bin weiß, ich bin also ein weißer Blacky und du ein schwarzer Whity!«

Tricker Derek sah mich lange an, legte seine Hände auf die vor ihm liegenden Zigarettenpäckchen und zog sie zu sich. Nur ein paar Zentimeter. Hatte er akzeptiert?

Er ließ sich Zeit, dann meinte er lächelnd, in perfektem Englisch: »Danke für das Geschenk. Morgen könnt ihr hier arbeiten. Ich zeige euch die heilige Stelle, wo unsere Vorfahren die Götter um Wasser gebeten haben, mit einem Lied, das ich für euch singen werde!«

Ich wusste von dem kleinen See, dem verborgenen

Wasserloch am Uluru, in dem das Wasser seit Menschengedenken nicht versickert, nicht verdampft unter der gnadenlos sengenden Sonne.

Dort treffen wir Derek am nächsten Morgen. Still beobachtet er unsere Arbeit, die Suche nach geeigneter Kameraposition, das Aufstellen weniger Scheinwerfer und Lichtblenden. Endlich ist es so weit.

»Wir sind so weit!«

Tricker Derek richtet sich auf, zu ehrfurchtgebietender Größe, sieht über uns hinweg, wir sind für ihn nicht da. Langsam hebt er beide Arme, richtet die Hände gegen die oberste Kante des Monolithen und beginnt leise zu singen. Keine Melodie, nur ein langgezogener, gleichbleibender Ton. Leise formen seine Lippen ein Wort, das sich anhört wie »KOKAKOKA-KOKA«, es klingt wie ein Gebet. Nach einer kurzen Pause wieder:

»KOKAKOKAKOKA ...« Seine Augen sind starr auf die Stelle gerichtet, auf die auch seine ausgestreckten Hände zeigen.

Dann geschieht, was keiner von uns glauben möchte. Wir bemerken ein kleines Rinnsal, das seinen Weg im Zickzack durch die roten, wie verbrannt wirkenden Felsen in das vor uns liegende Wasserbecken findet.

Wo es herkam, weiß bis heute keiner von uns.

Während der Dreharbeiten hat Tricker Derek bemerkt, dass viele Touristen mich erkannten und wissen wollten, ob das eine neue Folge von »TERRA AUSTRALIS« würde.

Am dritten Tag kam er mit einer Bitte.

»Du weißt, dass der »Uluru« unser heiliger Berg ist. Das Gesetz sagt, dass wir für alles verantwortlich sind, was um oder auf dem Berg geschieht. Viele Menschen kommen hierher und steigen auf unseren Berg, wir nennen sie ›Weiße Ameisen‹, weil sie aus der Ferne gegen den Himmel wie Ameisen aussehen, wenn sie sich am Seil zum Gipfel hochziehen. Wenn sie oben sind oder heil wieder runterkommen, klopfen sie sich auf die Schultern und schreien wild durch die Gegend. Wenn aber auf dem Weg etwas passiert, weil es zu heiß ist, weil sie nicht richtig angezogen sind, weil sie in der Gluthitze nichts zu trinken mitnehmen, dann sind wir dafür verantwortlich. Aber das glauben sie uns nicht.«

»Warum nehmt ihr unser Geld, warum habt ihr das Drahtseil nach oben gelegt?«

Derek sieht mich an.

»Der Uluru ist für uns, was für die Katholiken der Petersdom in Rom ist. Da klettern doch auch keine Ameisen hoch und jodeln, wenn sie gut angekommen sind!«

»Es lädt aber auch kein Drahtseil dazu ein«, wage ich zu sagen.

»Du hast recht. Wir erneuern das verrostete Seil schon lange nicht mehr, wir lassen es verrotten. Aber das erhöht die Gefahr und damit wieder unsere Verantwortung. Kannst du uns helfen?«

»Ich? Oh Gott, Derek, wie denn?«

»Ich hab gesehen, wie Leute sich mit dir fotografieren lassen, und du sollst dann deinen Namen draufschreiben. Bist du ein Tribe Leader?«

»Nein, das bin ich nicht, die kennen mich vom Fernsehen und vom Kino.«

»Die achten dich, vielleicht hören sie auch auf dich, wenn du ihnen sagst, dass sie unseren Berg in Frieden lassen sollen. Wir haben das in unserer Sprache aufgeschrieben, aber die verstehen sie nicht. Kannst du das in deiner Sprache auf ein Schild schreiben?«

Ob das Schild heute noch am Fuß des Uluru steht? Keine Ahnung. Und ob es ein paar Landsleute im fernen Australien beherzigt haben? Auch nicht. Schön wär's!

Noch etwas hat Derek uns erzählt. Touristen sind vom Uluru und von allem, was sie dort erlebt haben, oft so beeindruckt, dass sie irgendetwas mitnehmen. Souvenir, Souvenir! Ein Stein, ein dürrer Grashalm, ein Stück Zaunlatte aus einer Absperrung, irgendwas.

»Nach einem halben Jahr schicken sie es an uns

zurück«, sagt Derek. »Sie sagen, es hätte ihnen Unglück gebracht. Wir haben einen Berg davon!«

»Schafft eine neue ›heilige Stätte‹ für die entführten und wieder heimgekehrten Gegenstände eures Stammes, die in der Fremde ihre Kraft nicht verloren haben!«

Derek sah mich lange an, umarmte mich und nickte.

Keine Ahnung, ob Tricker Derek noch lebt. Ich denke oft an ihn, seine Achtung gebietende Persönlichkeit. Ich weiß nicht einmal, wie alt er war. Nur eines weiß ich: Zwei weißhaarige Alte hatten sich verstanden.

Vom Boandlkramer und Weißwursthimmel

»Denken Sie manchmal an den Tod?«

Eine oft gestellte Frage vieler junger, noch unbedarfter Journalisten an einen alten Mimen. Offenbar betrachten sie die Frage als besonders mutig oder schockierend. Sie signalisieren damit, wo sie den Befragten einordnen. Sparte »überfällig«! Man sieht es ihnen an, wenn sie die Frage mit leicht provokantem Lächeln abschießen.

»Haben Sie sich darüber schon Gedanken gemacht?«

Was soll man darauf antworten? Die ganze Litanei der vielen Begegnungen mit dem schwarzen Gevatter? Im Krieg, im Straßenverkehr, im Krankenhaus, bei gefährlichen Stunts, im Flugzeug? Oder soll man sie einfach zum Teufel schicken?

Natürlich denkt man mit zunehmendem Alter an den Tod. Ich sehe ihn gern in der Gestalt des »Boandlkramer« in der wundervollen Geschichte vom »Brandner Kaspar« von Wilhelm von Kobell, in der Bühnenfassung von Kurt Wilhelm.

Ein tölpelhafter, schlitzohriger, mit allen Wassern gewaschener Tod, der sich vom Brandner Kaspar beim Kartenspielen und Schnapseln übertölpeln lässt, ihm noch ein paar Jahre zu schenken, ihn zu vergessen.

Als der »Boandlkramer« mit seiner schäbigen Karre ohne den Brandner Kaspar im Weißwursthimmel eintrifft, bekommt er von Petrus den verdienten Anschiss und den Auftrag, auf der Stelle umzukehren und den Brandner Kaspar zu überzeugen, dass er nun doch in der Ewigkeit zu erscheinen hätte, und zwar sofort, damit die himmlische Liste wieder stimmt.

Eine wundervolle Geschichte, zu schön, um wahr zu sein, aber eine ziemlich passende Antwort auf die Frage nach dem Gedanken an den Tod. Dass der

Aufenthalt auf Erden zeitlich limitiert ist, begreift so ziemlich jeder halbwegs Denkfähige früher oder später, nur Dummköpfe meinen, sie wären unsterblich. Was allerdings keiner weiß: wann, wie und wo einen der »Boandlkramer« abholt, um ihn auf dem Bock seiner schäbigen Karre hinter dem klapprigen Ross in die Ewigkeit zu befördern.

Wir sind sozusagen »flüchtige Bekannte«, ich habe keine Angst mehr vor ihm.

Neben der unausweichlichen Realität des Todes steht für viele Menschen die Frage nach der Existenz Gottes.

Ich bin bekennender Agnostiker, Angehöriger der »Lehre von der Unerkennbarkeit des übersinnlichen Seins«, will heißen, ich bin nicht (mehr) in der Lage, an Gott zu glauben, wie die Institution Kirche es vorschreibt.

Meine Zweifel an »Gott, dem Allmächtigen« begannen im Zweiten Weltkrieg. Zuerst in den Bombennächten und später an der Front, wo Gottes Vertreter auf beiden Seiten den Kämpfern beibringen wollten, sie hätten Gottes Segen, sich gegenseitig umzubringen. Dennoch habe ich Respekt vor jedem, der die Kraft für die Überwindung so vieler Schwierigkeiten im Leben aus einem tiefen Glauben bezieht.

Ich hüte mich, Menschen von ihrer Überzeugung abbringen zu wollen. Was nicht zu beweisen ist, ist auch nicht zu widerlegen. Und letztendlich beneide ich die Möglichkeit, sich mit allen Problemen einem Gott anzuvertrauen mit der Überzeugung, dass dieser sich bemüht, sie zu lösen. Wir Ungläubige haben es da wesentlich schwerer.

Helmuth Fuschl, österreichischer Theaterdirektor und Regisseur, legte mir vor Jahren das amerikanische Theaterstück »Mass Appeal« von Bill C. Davis auf den Tisch.

»Das Stück ist Ihnen auf den Leib geschrieben, damit sollten wir auf Tournee gehen!«

»Tournee? Nein danke, dafür bin ich zu alt!«

»Lesen Sie's wenigstens, damit Sie wissen, was Sie versäumen!«

Der Mann war beharrlich.

Nach der fünften Seite gab es kein Entrinnen, der Stoff ließ mich nicht mehr los.

Ein alter Priester, dem Rotwein verfallen, der Kirche gehorsam. Diesem frommen »Sprücheabsonderer« wird ein junger, rebellischer Seminarist zur »Priester-Erziehung« anvertraut. Der Konflikt ist vorgezeichnet.

Ich rief Fuschl an.

»Sie haben recht, das muss ich spielen, und wenn ich dabei draufgehe!«

»Dann lassen Sie's uns bearbeiten!«

Beim Studium der Rolle des alten Priesters wurde klar, welche Verantwortung ich übernehmen würde. Klar war auch, dass die religiöse Problematik des Stückes nicht unverändert ins Deutsche übernommen werden konnte.

Religion hat bei uns einen anderen Stellenwert. Wie erklärt man einem Amerikaner, dass in Deutschland für die Zugehörigkeit zu einer Glaubensgemeinschaft Steuern zu zahlen sind?

Also schrieb ich das Stück um, änderte den dramaturgisch wichtigen, hierarchisch völlig anderen Umgang der Priester mit ranghöheren Gottesdienern. Dann schrieb ich neue Predigten, die weniger imperiale, dafür mehr deutsche Probleme zum Inhalt hatten und den Gläubigen unter die Haut gehen sollten, und fand schließlich den deutschen Titel »Der Priestermacher«.

Dieser Prozess fand in der Zeit statt, als ich nach drei Herzoperationen physisch und psychisch angeschlagen in der Reha-Klinik »Lauterbacher Mühle« an den oberbayerischen Osterseen lag. Dem »Boandlkramer« gerade noch mal entkommen war ich für das Thema sensibilisiert. Die Konflikte jung gegen alt, gläubig gegen ungläubig, gehorsam gegenüber den kirchlichen Dogmen oder freie Auslegung nach eigenen Erkenntnissen und Erfahrungen ließen ahnen, welche Gefahren da lauerten. Was könnte man mir vorwerfen? Eine Art Kirchenkampf vom Zaun zu brechen? Die moralische Integrität der Priesterschaft in Frage zu stellen? Die Dogmen der Kirche zu untergraben? Würde ich durch all das vielleicht sogar am Jüngsten Tag der ewigen Verdammnis anheimfallen?

Ein Monsignore aus Rom war ebenfalls Patient in der Reha-Klinik. Wie sich herausstellte der Beauftragte des Vatikan für die Ausbildung von Priestern. Ich bat ihn um ein Gespräch im kleinen Café auf dem Hügel im Park. Diesem gab ich den Namen »Café Bypass«.

»Monsignore, was ich da vorhabe, was wäre das Ihrer Meinung nach? Blasphemie, Sarkasmus, Polemik, Gotteslästerung gar ...?«

»Wenn Sie so schreiben, wie Sie es mir jetzt erzählen, ist es die Wahrheit!«

Also schrieb ich. Wer hätte ahnen können, dass das Erzbischöfliche Ordinariat in München für die zweihundertdreißigste Vorstellung in der Komödie im Bayerischen Hof für Seine Eminenz, Friedrich Kardinal Wetter, zwei Plätze reservieren lassen würde.

Nach der Vorstellung beehrte uns der Gottesmann in der Garderobe Gundel, meine Regierung, fasste sich ein Herz und bat den Kardinal auf ein Bier in den Palais Keller. Zu unserer Überraschung akzeptierte er und signierte zunächst, sichtlich amüsiert, zur Freude der zahlreichen Gäste, die in der Vorstellung waren, Eintrittskarten, Speisekarten, Programme und was sie ihm sonst hinhielten. Bei den Programmen, mit den Bildern von Ralf Bauer und mir, setzte er seinen Namen lächelnd unter mein Konterfei als Priester.

»So was hab ich noch nie gemacht!«

»Eminenz, wie hat Ihnen das Stück gefallen?«

»Gut, sehr gut! An Ihnen ist ein Priester verloren gegangen. Sie waren recht überzeugend.«

»Sind Sie mit der Problematik einverstanden?«

»Vielleicht manchmal etwas überzogen, aber es ist die Wahrheit!«

Was für ein Kompliment aus dem Mund eines Kirchenfürsten.

Während der Spielzeit in der Komödie im Bayerischen Hof kamen viele Kleriker, unter anderen der evangelische Landesbischof Dr. Johannes Friedrich und der damalige Abt vom Kloster Andechs, Anselm Bilgri.

Der außergewöhnliche Erfolg des Stückes hatte

sich herumgesprochen. Pater Anselm war begeistert. Ich erzählte ihm von unseren vergeblichen Bemühungen, das Stück dem Bayerischen Rundfunk als Fernsehaufzeichnung anzubieten. Die Absage war bemerkenswert: »Der Bayerische Rundfunk bedauert, das Stück nicht aufzeichnen zu können, die Anstalt steht dem Vatikan zu nahe!«

Was sollte das denn? Der Kardinal lobt, und der Bayerische Rundfunk lehnt ab?

»Wer war denn der Unglücksmensch?« Pater Anselm wollte es genau wissen.

»Die Ablehnung kam aus einer mir unbekannten Abteilung.«

Er lachte.

»Ja, so ist das halt. Leider! Dabei besteht gar kein Grund, ich kenn das Stück ja schon!«

»Kaum möglich«, widersprach ich, »es ist die europäische Erstaufführung.«

»Weiß ich, ich hab's ja auch nicht im Theater gesehen, sondern vor über zwanzig Jahren – im Vatikan!«

»Wo bitte?«

»Ja, im Vatikan! Dort gibt es eine nordamerikanische Kongregation, mit angeschlossenem Priesterseminar. Die haben sich das Stück aus Amerika kommen lassen und aufgeführt! Ich war dabei, und wir waren begeistert!«

Hallo Bayerischer Rundfunk! Päpstlicher als der Papst?

Eine ganz wichtige Frage während der Vorbereitungszeit: Wer soll, wer kann den jungen Seminaristen spielen? Den Rebellen, der bereit ist, sein Leben der Kirche zu weihen, aber nicht als gehorsamer Diener des Herrn, sondern als streitbarer Geist, der die Dogmen der Institution nicht einfach schluckt, sondern kritisch hinterfragt.

Hoch über dem Circular Quay, mitten im Herzen von Sydney, meldet der Computer den Eingang einer E-Mail.

»Wir haben mit den Dreharbeiten zu ›Tristan und Isolde‹ begonnen. Unser Hauptdarsteller, Ralf Bauer, macht den Eindruck, als scheue er sich, seinen Gefühlen freien Lauf zu lassen, wenn er ohne Partner vor der Kamera steht. Wann kommst Du, um als König Marke einzusteigen?«

Zwei Wochen später traf ich diesen idealen Tristan am Set. In einer alten Ruine bei Saint-Malo in der Bretagne. Eisiger Wind pfiff durch das alte, verfallene Gemäuer. Das Team bibberte vor Kälte, und das trotz ganzer Fässer mit heißem Tee, die die Produktion anfahren ließ.

Für den ersten gemeinsamen Drehtag mit dem jungen Kollegen hatte die Produktion ausgerechnet die schwerste Szene im ganzen Film angesetzt.

Tristan, Neffe von König Marke, stirbt in den Armen seines königlichen Onkels, der ihm vergeben hat, dass Tristan ihn mit seiner jungen, bildschönen Königin Isolde betrogen hat.

Für diese Szene gab es nur zwei Möglichkeiten: Entweder es gelang, die Seelen der handelnden Figuren, also eine ganz junge und eine ganz alte, so glaubhaft darzustellen, dass die Zuschauer Rotz und Wasser heulten – oder aber es wurde geballter Kitsch.

Schon bei der ersten Stellprobe brach das übliche Gebrabbel am Set ab, es wurde ungewohnt still. Plötzlich stand die halbe Belegschaft in dem kreisrunden, eiskalten Turmzimmer und schaute interessiert zu, was da zwischen zwei Schauspielern geschah.

Nach der ersten Aufnahme kam das Skriptgirl langsam auf uns zu. Wir verharrten immer noch wortlos in der Stellung, in der die Szene geendet hatte. Tristan lag in den Armen von König Marke, dessen Tränen auf die Stirn seines toten Neffen fielen. »Was fällt euch eigentlich ein?«, sagte sie leise, »uns alle hier zum Flennen zu bringen? Wir haben schon Gänsehaut genug!«

Diese Szene und die nachfolgende Arbeit an »Tristan und Isolde« begründete eine Art Seelenverwandtschaft, die bis heute hält. Mit Einverständnis meines Sohnes Thomas gehört Ralf Bauer zu den vier jüngeren Männern, die ich »Vizesöhne« nenne. Unsere Seelen scheinen gleich gestimmt zu sein. Da gibt es keinen trennenden Altersunterschied, da ist gegenseitige Akzeptanz, Respekt und Vertrauen. Die anderen drei sind Professor Dr. Wolfgang Reitzle, Produktionschef Wolfgang Ruch vom SWR und der Oktoberfestwirt Peter Pongratz.

Als nun »Der Priestermacher« ins Haus stand und damit die Frage: Wer spielt den jungen Seminaristen?, war für mich ganz klar: Ralf Bauer soll es sein! Er wurde es.

Verlag, Theateragentur, Regisseur, die beiden Darsteller, alle waren vom Erfolg überzeugt. Wir wollten das Stück so schnell wie möglich auf die Bühne bringen. Das einzige Hindernis dabei war ich. Auf einmal hatte ich Schiss. Je mehr ich mich mit dem Thema des Stückes um den Glauben an Gott, dem Zweifel vieler Menschen an der Macht und den Mächtigen der Kirche befasste, desto stärker empfand ich die Verantwortung gegenüber denen, deren Gefühle ich mit dem, was ich da dachte und schrieb, verletzen könnte.

Alle drängten auf eine Premiere im Frühjahr 2001.

Diese sollte in einer katholischen Kirche in Siegen stattfinden. Eine verlockende Idee. Sie hatte nur einen Haken: Seit Jahren lebte und arbeitete ich mit Frau und Sohn von Oktober bis März in Australien. Wann also sollten die Proben für »Der Priestermacher« beginnen? Ich bin sicher, alle dachten, ich sei übergeschnappt, als ich vorschlug: Wir proben in unserem Haus am Nutgrove Beach in Hobart, der Hauptstadt der Insel Tasmanien, immerhin am untersten Ende des Kontinents, im südlichen Pazifik, am Rand der Antarktis. Margrit Kempff, Theateragentin und Produzentin, willigte tatsächlich ein und entsandte Regisseur, Assistent und Ralf Bauer auf die Insel am anderen Ende der Welt.

Die Buschtrommeln arbeiten schnell auf Tasmanien.

»Der Deutsche am Nutgrove Beach macht im alten Bootshaus Theater!«

Premier Jim Bacon, Ministerpräsident des kleinsten Bundesstaates von Australien, und seine Frau Honey, die First Lady also, sagten sich zu einer Probe an. Welche Ehre!

Wir suchten eine Szene aus, bei der die Sprache nicht so wichtig war. Mehr Gefühl, Gewissenskampf, Seelenqual.

Das war sicher die Szene, in der der alte Priester dem jungen, rebellischen Seminaristen klarmacht, dass er aufhören muss, um jeden Preis die Wahrheit zu sagen.

»Wenn Sie Priester werden wollen – lügen Sie ...!«

Sicher einer der provokantesten Sätze im ganzen Stück, aber weniger wichtig vor Premier und First Lady, die beiden würden ja kein Wort verstehen.

Während der Probe vor den hohen Gästen gaben wir natürlich darstellerisch Vollgas. Wir spielten die Szene zu Ende. Honey Bacon schluchzte.

»Was ist los, Honey, warum weinst du? Hast du überhaupt was verstanden?«

»Not a word – but both of you sounded so sad!« Kein Wort – aber ihr beide habt euch so traurig angehört.

Wenn es ohne verständlichen Text funktionierte, müsste es vor deutschsprachigen Zuschauern ein Erfolg werden. Es wurde einer.

Die Premiere in der evangelischen Kirche in Siegen war ein Erlebnis der besonderen Art. Nachdem die katholische Kirche unsere Bitte, dort die europäische Erstaufführung spielen zu dürfen, abgelehnt hatte, sprang der evangelische Pfarrer in die Bresche und bot sein Gotteshaus an. Nach der umjubelten Vorstellung strahlte er übers ganze Gesicht. Sein katholischer Kollege kam zur Premierenfeier, er schien mir ziemlich angesäuert, dass ihm und seiner Gemeinde dieses Ereignis entgangen war.

Siegen war der Beginn einer anstrengenden Tournee. Ein Siegeszug durch die Bundesrepublik. In siebzig Städten schenkten uns die Zuschauer »Standing Ovations«. Vor den Theatern drängten sich oft Hunderte weiblicher Teenager. Meist Fans von Ralf Bauer, ein paar von ihnen behaupteten wenigstens, sie hätten auch auf mich gewartet.

Am Ende der Vorstellung war Ralf meistens genauso geschafft wie ich. Bitte keine Autogramme mehr, keine gemeinsamen Fotos, nur ins Hotel, vielleicht noch ein Bier oder eine Suppe, wenn's um die Zeit überhaupt noch etwas gibt. Sonst geht man halt hungrig in den Schlaf. Am nächsten Morgen warten wieder ein paar hundert Kilometer – auf zum nächsten Veranstaltungsort, zur nächsten Herausforderung.

Abendliches Problem: Wie ungeschoren aus dem Theater kommen? Bis in die Garderobe hörten wir das Gekreische der weiblichen Teenies. Manchmal fand Gundel einen brauchbaren Fluchtweg, ein rettendes Fenster an der Rückseite des Theaters.

Am Ende der Tournee spürte ich zum ersten Mal deutlich, dass meine physische Kraft für diese Art

Stress nicht mehr ausreichte. Drei Operationen mit ziemlich langer Rehabilitationszeit, das bleibt eben doch nicht in den Kleidern stecken.

Aber da war Margit Bönisch, »Prinzipalin« der Komödie im Bayerischen Hof in München. Sie wollte den »Priestermacher« übernehmen. Ich wäre daheim, könnte tagsüber schreiben oder endlich mal nichts tun.

Abends für zwei Stunden auf die Bühne, danach vielleicht noch mit Freunden auf ein Bier in den Palais Keller, und dann a tempo heim, ins eigene Bett! Ralf und ich unterschrieben.

Die ersten warnenden Stimmen kamen. Von unten und von oben. Gesichter von Freunden und Ärzten zeigten Besorgnis. Zuschauer meinten, sie hätten befürchtet, dass ich umkippe, ein Arzt fand die ermunternden Worte: »Sei vorsichtig, für dich haben wir keine Ersatzteile mehr!«

Immerhin, mit fünfundsiebzig, drei Bypässen, vier Stents und einem Herzschrittmacher war ich nun wirklich kein heuriger Hase mehr. Manchmal hatte ich Angst, ich käme nicht mehr von der Kanzel runter. Auch Ralf war besorgt. Er hatte sich schon angewöhnt, mich bei der Schlussverbeugung unauffällig zu stützen.

Der Erfolg war zu schön, hatte sich in Theaterkreisen herumgesprochen. Plötzlich standen wir vor der Frage, ob wir Angebote aus Deutschland, Österreich und der Schweiz unterschreiben wollen. Fünfhundert weitere Vorstellungen waren gefragt.

Für beide, für Ralf Bauer und für mich, eine schwere Entscheidung. Die innere Stimme und die Eitelkeit sagten: »JA!« Der Verstand und der Körper sagten: »NEIN!« Gundel, meine Regierung, sagte: »NEIN!«, und zwar laut und deutlich. Der Arzt sagte: »Lieber nicht – wenn du mich fragst!« Ihn zu fragen hatte ich mir zwangsläufig angewöhnt.

»Das kann ich nicht«, sagte Ralf Bauer, »das wären fünf Jahre, in denen ich kein Film- oder Fernsehangebot mehr annehmen könnte. Dagegen hat auch mein Management was!«

»Fünf Jahre«, meinte Gundel, »fünf Jahre im Hotel in Düsseldorf, Hamburg, Berlin, Essen, Wien und sonst wo? Oh Gott – bitte nein!«

Verdammt, was tun?

War's das dann? Runter von der Kanzel, Schluss mit dem Priestermacher?

»Gut«, sagte Margit Bönisch, »suchen wir einen anderen Partner für dich.«

So recht konnte ich mich nicht an den Gedanken gewöhnen. Allerdings, einer aus der jüngeren Schauspielergarde war mir schon ein paar Mal aufgefallen, Pascal Breuer.

»Der könnte der Richtige sein. Ich möchte den ›Priestermacher‹ auf jeden Fall weiterspielen!«

Pascal wurde ein vollwertiger Ersatz für Ralf Bauer. Ein erfahrener Bühnenschauspieler mit einigen Meriten. Es klappte auf Anhieb, die Gunst des Publikums blieb dem Stück und uns treu, für weitere sechzig Vorstellungen, dann kam eben doch das Ende.

»Ich habe noch nie in meinem Theater ein Stück so lang gespielt!« Wir saßen mit der Prinzipalin, Margit Bönisch, beim Essen und sprachen darüber, dass langsam doch ab und zu ein paar Lücken im Parkett blieben.

»Einige von den Abonnenten haben den ›Priestermacher‹ schon zweimal gesehen. Manche dreimal!«

Wenn man lange genug im Geschäft ist, erkennt man am Tonfall, was die Stunde geschlagen hat.

»Der Priestermacher« hatte sechs Jahre lang die Häuser in Deutschland und die Komödie in München Abend für Abend gefüllt, jetzt würde er wohl bald von der Bildfläche verschwinden. Ein ungemütlicher Gedanke. Verwöhnt vom Erfolg will man das zuerst nicht glauben, kann sich das nicht vorstellen, was soll denn danach kommen? Gab es vorher vielleicht schon Anzeichen dafür, dass alles irgendwann zu Ende ging?

Ja, es gab. Da war der Chef einer großen und bekannten Produktionsgesellschaft mit Riesen-Etat, der nach der Vorstellung gönnerhaft meinte: »Doch ja, ein nettes Stück, und eine gute Vorstellung von Ihnen beiden.«

So formuliert einer, der einem schonend beibringen will: »Mit dir hab ich nichts im Sinn!« Einen Augenblick lang war die Versuchung, diesen Herrn in die Schranken zu weisen, groß. Was war das denn? Wollte er sein Mütchen kühlen für Absagen, die ich ihm für schlechte Rollenangebote gegeben hatte? Rollen, die immer nach dem gleichen Strickmuster geschrieben waren. Leichte Kost, bei der die Zuschauer von vornherein ahnen konnten, wie's weiter- und wie's ausgeht, wer der Böse und wer der Gute ist, wer wen bescheißt, im Geschäft oder im Bett. Die Jungen haben Probleme, die Alten lässt man sterben, damit die Jungen noch mehr Probleme erben.

Der Jugendwahn regiert, ansonsten gibt es die »Quotenalten«. Kommt mal ein Buch auf den Tisch, bei dem man meint, daraus könnte was werden, heißt es meistens: »Für Änderungen ist keine Zeit. Das Buch ist so abgenommen, die Finanzierung steht bereits!«

Das Todesurteil für manch gute Story. Das neue Kriterium heißt: »Gut genug!« Für wen oder was? Für die Fernsehanstalt? Für Redakteure? Für Produzenten? Für die Schauspieler? Oder gar für die Zuschauer? Gut genug für wen also?

Dieser Mann war meiner Meinung nach Verwalter mittelmäßigen Geschmacks. Er wusste es nicht besser. Was bleibt einem da? Wenn du dir das leisten kannst, in Ordnung, dann lehnst du eben ab und basta. Wenn aber nicht, aus welchen Gründen auch immer, nimmst du an, zähneknirschend, weil du weißt, es ginge besser, aber du akzeptierst unreifen Käse und spielst, nach bestem Wissen – aber ohne Gewissen.

Zugegeben, für mich war das bisher ein Randproblem.

»Ich lebe vom Absagen«, sagte ich hier und da. War das möglicherweise etwas zu großmäulig? Jetzt, in der »Nach-Priestermacher-Ära«, hatte ich plötzlich Zeit für eine Art Hirn-Inventur, Bestandsaufnahme von dem, was war, von dem, was ist, und von dem, was noch kommen könnte.

Zeitlich limitiert

Was ist im Langzeitgedächtnis hängen geblieben? Der Kohldampf der Nachkriegszeit, die Schiebereien auf dem Schwarzmarkt, die Arbeit im Kohleflöz. Der Vater wegen unsinniger Vorwürfe bezüglich seiner politischen Vergangenheit im Knast, die Mutter allein mit drei Söhnen, zwei kleine und ein großer, der aus der Kriegsgefangenschaft relativ unbeschädigt heimgekehrt war und unfreiwillig die Vaterrolle übernehmen musste. Lebensmittelbeschaffung auf illegale Weise, Ermahnungen zu Ordnung und manchmal ein paar Maulschellen. Die fand ich damals a) berechtigt, b) notwendig und c) tun sie mir heute unendlich leid.

Rehabilitation und Entnazifizierung des Vaters, Gründung einer gemeinsamen Firma, in der Vater und Sohn an verschiedenen Enden vom Strick zogen. Der Vater Typ königlicher Kaufmann, der Sohn eher vom Schlag: erst der Magen, dann die Moral. Das konnte nicht gut gehen.

Der Tod des mittleren Bruders, Wilfried hieß er, war blond und hatte blaue Augen. Sie wurden blind, weil seine Nieren versagten und es keine gab, die man hätte transplantieren können. Mag sein, dass man den abberufenen Bruder post mortem verherrlicht, aber ich glaube, dass er das Genie der Familie geworden wäre. Er war streitbar, glaubte nichts und niemandem, bevor man ihn überzeugt hatte, was schwer genug war. Deswegen manchmal die Maulschellen. Sie tun mir heute noch weh. Verzeih mir, Bruderherz!

Dann der Jüngste, Otmar, liebens- und beschützenswert. Noch zu klein, um zu begreifen, wie beschissen die Welt sein kann und wie viele in ihr leben, die davon leben, und zwar gut. Gutherzig und gutgläubig, hilfsbereit und loyal bis zum Gehtnichtmehr.

Und die Mutter? Eine Schwäbin durch Generationen. Was das heißt? Typ KKK – Kinder, Küche, Kirche. Vielleicht in umgekehrter Reihenfolge. Sie machte den Versuch, uns nach der Devise zu erziehen: »Der Herr wird's schon richten!«

In mir keimte früh der Verdacht, dass sich der Herr mit dem Richten relativ schwertat. Besonders im Krieg. Danach war ja auch einiges los, was einen an seiner Allmacht zweifeln lassen konnte. Oder warum musste der Bruder mit zweiundzwanzig sterben, der Vater ins Gefängnis, obwohl er wirklich keiner Fliege was zuleide tun konnte? Als sein Ältester ihn mit seinem Geschäft allein sitzen ließ und sein Mittlerer wenige Jahre später in seinen Armen starb, ahnte er wohl, dass seine Kraft zu Ende ging. Vielleicht sah er damals auch den »Boandlkramer«, mit Ross und Karre auf der Lindemannstraße in Düsseldorf, unter den hohen Bäumen der Allee, in deren Mitte die Linie 8 der städtischen Straßenbahn fuhr.

Der Vater wehrte sich nicht mehr, gab auf, fiel einfach um und begann den Schlaf, aus dem man nicht mehr erwacht. Er wurde neunundsechzig. Vierzehn Jahre habe ich ihn überlebt, bis jetzt, und je älter ich werde, desto öfter denke ich an ihn und nehme mir vor, nicht aufzugeben. Wenigstens nicht, solang mein Kopf arbeitet, nicht, solang meine Sinne halbwegs funktionieren.

Die Zipperlein, die deinen strapazierten Körper so nach und nach beschleichen, werden bewusst und ärgerlich. Zwei Möglichkeiten hast du: permanent in der Gegend herumzujammern und damit ziemlich bald deiner Umgebung auf die Nerven zu gehen. Besser, du fängst endlich damit an aufzuhören! Mit was? Tu bloß nicht so, als ob du das nicht genau wüsstest. Mit den vielen Unarten, bei denen du schon lang vergessen hast, dass sie welche sind.

»Meine Waage funktioniert nicht mehr«, stellst du eines Morgens nach der Dusche fest.

»Die Waage ist kaputt!« Nein, mein Freund, du bist zu fett!

Gleichzeitig mit dieser nüchternen Feststellung beginnt die Erkenntnis, dass der schleichende Verfall deines bis dato ganz manierlichen Körpers begonnen hat – spürbar, und dass er vor allem unaufhaltsam sein wird.

Keine Angst, ich falle dir jetzt keinesfalls mit irgendwelchen dubiosen Diätvorschlägen auf den Wecker, nein, aber irgendwann musst du halt einsehen: Die Zeit der zufriedenstellenden Konfrontation mit dem Spiegel ist vorbei, der Prozess des Altwerdens beginnt. Ab jetzt wird das Problem zur Charakterfrage.

»Man ist halt nicht mehr der Jüngste ...« ist ein alter Spruch und taugt kaum als Trost. Sprüche helfen nicht mehr, jetzt müssen Taten her.

Die Epoche »Midlife-Crisis«, zu deutsch »Zweiter Frühling«, verändert die bisherigen Lebenserfahrungen unter Umständen bis ins Gegenteil. Kammgarn Pepita-Sakko, graue Flanellhose, hellblaues Hemd, zart gestreifte Krawatte und handgenähte Wildlederschuhe sind schlagartig »out«. Über Nacht beseelt dich der unstillbare Wunsch nach schwarzem Leder als Jacke, oder noch besser als Motorradanzug mit möglichst vielen Reißverschlüssen, stahlverstärkte, wasserdichte Stiefel für enge Kurven bei dichtem Regen. Das Ganze kann natürlich auch rot getragen werden, Hauptsache auf die Haut geschneidert. Geil! Zu diesem Outfit gehört dann noch ein hochmotorisiertes, bayerisches oder auch japanisches Zweirad mit notwendigem und gar nicht so leicht zu erlangendem Führerschein der Klasse I.

Mit diesen nicht ganz ungefährlichen Anschaffungen sind die ersten Maßnahmen gegen das Altwerden eingeleitet.

»Ach du lieber Gott, muss denn das sein?«, war die kritische Reaktion meiner Regierung. Diese plötzliche Verjüngungskur, im Alter von doch schon stattlichen fünfundvierzig Jahren, schien ihr irgendwie suspekt. Mutmaßungen von nicht selten damit verbundenen, anderen Sehnsüchten von Ehemännern in diesem Alter hat sie zwar nie geäußert, aber welcher Ehemann kennt die geheimsten Gedanken seiner Frau schon so genau?

»Und wozu ist der da?«

Mit dieser Frage, die in unmissverständlicher Absicht und unüberhörbarer Aufforderung zu einer klaren Antwort gestellt wurde, deutete sie auf den nach hinten verlängerten Sitz der 750er BMW.

»Der Soziussitz, für den Zweiten!«

»Du wirst doch nicht im Ernst glauben, dass ich mich je da drauf setze!«

»Ich befürchte es.«

»Also wer dann?«

»Zum Beispiel Thommy!«

Sohn Thomas Michael, damals fünfzehn Jahre alt,

hatte in der Beschaffungszeit von Ledermontur, Helm und Kraftrad erkennen lassen, dass er alles ziemlich cool fand, und meinte, so eine schwarze Kluft stünde ihm vermutlich auch ganz gut Das tat sie wirklich! Er war zeit seines Lebens gertenschlank, trug damals schulterlanges Haar, das unter dem gewaltigen weißen Helm hervorhing. In seiner schwarzen hautengen Lederkombination bot er Betrachtern von hinten ein wirklich attraktives Bild. Rücken, Taille und Hintern waren wohlgeformt und ließen nicht erkennen, um welches Geschlecht es sich handelte, das da auf dem Soziussattel saß.

Dergestalt unternahmen wir Ausflüge in die nähere und weitere Umgebung. Schnell gab es Leute, die sich die Köpfe darüber zerbrachen, mit welcher jungen, langhaarigen Unbekannten der bis jetzt so skandalfrei verheiratete Fuchsberger seine Freizeit auf dem Zweirad und vielleicht auch sonst wo teilte.

Auch andere, viel bedenklichere Auswirkungen hatte der »Zweite Frühling«, der mich offenbar mit fünfundvierzig erreichte.

Die »senile Bettflucht« wird allgemein als Folge des beginnenden Alters gewertet. Bei mir scheint es eine genetisch bedingte Veranlagung zu sein. So weit ich zurückdenken kann, brauche ich kaum mehr als maximal vier Stunden Schlaf. Eigentlich reichen drei, mehr halte ich für Zeitverschwendung. Zwischen vier und fünf Uhr ist für mich die Nacht vorbei, die körpereigene Überlaufsicherung meldet sich, danach lohnt sich das Hinlegen nicht mehr, der Kopf fängt an zu arbeiten und gibt keine Ruhe.

Der zweirädrige Donnerbalken lockte mich, den Fünfundvierzigjährigen, das Bein in aller Herrgottsfrüh über den Sattel zu schwingen, Gas zu geben und in die frische Morgenluft zu brausen. Egal wohin. So auch an einem Tag, der allerdings für andere Aktivitäten vorgesehen war, nur eintausend Kilometer weiter nördlich.

Auf der A 9, im Voralpengebiet, gab ich Gas bis zum Anschlag. War das ein Sound des 750-ccm-Motors, vom Rausch der Geschwindigkeit ganz zu schweigen! Im Anblick der schneebedeckten Gipfel der Alpenkette vergisst man leicht Raum und Zeit ...

Bis der Magen knurrt. In der Vorfreude auf das von liebender Hand vorbereitete Frühstück steuerte ich, nichts Böses ahnend, heimwärts. Vor unserem Haus winkte »meine Regierung«, glücklich, mich heil wiederzusehen, so dachte ich. Aber je näher ich kam, desto deutlicher sah ich: Gundels Winken hatte etwas Verzweifeltes, musste mit einer Katastrophe zu tun haben. Vor Aufregung hüpfte sie auf der Stelle, was sie rief, blieb unverständlich. Der Helm! Runter damit.

»Jürgen Roland hat angerufen, du sollst seit einer Stunde im Studio Hamburg drehen!«

»Ach du Scheiße!«

Ich lege Wert auf die Feststellung, dass ich noch nie, wirklich noch nie (!) zu spät in ein Studio gekommen bin! Und ausgerechnet bei Jürgen Roland vergesse ich gleich einen ganzen Drehtag!

»Was mach ich jetzt?«

»Ruf ihn an, er wartet.«

»Und was sag ich ihm?«

»Die Wahrheit!«

»Die Wahrheit? Der bringt mich um.«

Jürgen Roland bleibt am Telefon gelassen.

»Na Alter? Bisschen Mist gebaut – wie? Kann schon mal passieren, wenn man älter wird!«

»Ich hab ein Motorrad und bin ...«

»Lass gut sein – ich weiß, was du hast –, du hast Hummeln im Arsch, der zweite Frühling hat dich erwischt, da setzt das Hirn schon mal aus ...!«

»Kannst du den Dreh auf den Nachmittag verschieben? Ich chartere einen privaten Jet! In drei Stunden kann ich da sein!«

»Nee, lass man, wir haben schon jemanden, der für dich einspringt.«

Pause.

»Ich hab der Produktion gesagt, dass dir auf dem

Weg zum Flugplatz schlecht geworden ist. Ist das klar?«

»Danke, Jürgen!«

»Da nicht für ...! Du schuldest mir was!«

Meine Motorradbegeisterung hatte einen empfindlichen Dämpfer erhalten. Den Rest gab mir ein Unfall, der böse hätte enden können. Bei einer Parkplatzausfahrt, an einer steil abfallenden Straße in Südtirol, hörte mein sonst noch ganz intaktes Reaktionsvermögen plötzlich auf zu funktionieren. Von unten kam ein Fiat mit Volldampf heraufgeschossen. Natürlich hatte er Vorfahrt. Bergauf hat immer Vorfahrt! Plötzlich hatte ich Nebel im Hirn, wusste nicht mehr, mit welchem Hebel man was macht, und – rummms – lag ich unter der Stoßstange des italienischen Kleinwagens. Mit Helm, unverletzt, am Körper wenigstens. Verletzt aber war mein Selbstwertgefühl, oder war es Eitelkeit?

War die Zeit gekommen, darüber nachzudenken, ob man im »Mittelalter« immer noch über Tisch und Bänke springen, immer noch den »Hans Dampf in allen Gassen« spielen, den unbesiegbaren Helden markieren soll?

Der Einsicht folgt auf dem Fuß die Erkenntnis, dass alles leichter gesagt als getan ist. Dir wird klar, du gehörst in eine Schublade, an der außen draufsteht, was drin ist. Zwei Möglichkeiten hast du: Du versuchst, dich zu ändern, dann stimmt der Inhalt nicht mehr. Die Schublade bleibt zu, der Inhalt wird nicht mehr gebraucht. Im günstigeren Fall erlaubt man dir, die Schublade zu wechseln, legt dich in einem anderen Fach ab. Dort aber wartest du ewig und drei Tage, bis sie zufällig einer mal wieder aufzieht.

Eine Zäsur im Leben. Wiederum bleiben dir zwei Möglichkeiten: Entweder du grantelst permanent in der Gegend herum und machst dich zum Gespött! Als beleidigte Leberwurst erringst du auch nicht gerade Freunde, also versuche, damit klarzukommen und mach das Beste daraus! Nur: Was ist das Beste?

Mami hat gesagt, wir sind jetzt arm

Ich habe leider das Dümmste gemacht. Ich weiß nicht warum, aber Schauspielern spricht man ja gern das größte und recht komplizierte Organ ab, das uns die Schöpfung mitgegeben hat: das Gehirn. In diesem Beruf gibt es schon ein paar Exemplare, die Fiktion und Wirklichkeit durcheinanderbringen, die glauben, dass alles, was ihnen gute Drehbücher von fantasievollen Autoren zum Vorgaukeln bieten, ihren Fähigkeiten in der rauen Wirklichkeit entspricht. Aber selbst den Dümmsten wird irgendwann klar, dass die Gunst des Publikums vergänglich ist, und zwar von heute auf morgen. Und weil das so ist, denken fast alle aus unserer Zunft irgendwann an das berühmt-berüchtigte »zweite Bein«. Damit ist ein anderer Broterwerb gemeint. Einer, der dich unabhängig davon macht, ob den Zuschauern im Theater, im Kino oder im Fernsehen deine Nase auch morgen noch gefällt.

Möglichkeiten gibt es viele – und Schauspieler denken eben gern, was sie erfolgreich gespielt haben, können sie auch im Leben. In Wirklichkeit verstehen die meisten von dem, was sie dann vorhaben, etwas weniger als nichts.

Bei mir war es eine Immobiliengesellschaft. Mit einem Freund als Partner. Ein Fachmann, wie ich dachte, ein Typ zwischen Aufschneiderei und Genialität. Mit meiner Zustimmung wurde aus einem erfolgreichen Maklerbüro ein Bauunternehmen mit allen nur denkbaren Risiken. Zunächst ging alles sehr gut – endete dann aber in einer Riesenpleite. Mit einem Berg von Schulden stand ich da und wusste nicht mehr ein noch aus.

In so einer Situation sucht man nach Ausreden, Ausflüchten, Auswegen. Möglichkeiten hat man, saubere und unsaubere, gerade und krumme, die Versuchungen sind groß, falsche Einflüsterungen zahlreich.

Da ist es überlebenswichtig, dass du eine Lebenspartnerin an deiner Seite hast, die nicht einfach abhaut und den Gefallenen im wahrsten Sinn des Wortes im Grundwasser stehen lässt und gegen einen »Flüssigeren« eintauscht. Sondern eine Frau, die sich Gummistiefel anzieht, auf die Baustelle geht und mit den Kunden spricht. Die dafür sorgt, dass berechtigte Beschwerden zur Zufriedenheit der Kunden gelöst werden. Viele hatten was zu meckern und meinten: »Der Fuchsberger hat's ja, der soll ruhig blechen!«

Gundel erkannte die Situation und zog die Notbremse. Die Firma, in bester Absicht als OHG gegründet, wurde liquidiert, natürlich »bei voller Übernahme der Verbindlichkeiten meinerseits«! Im Klartext hieß das: Bei über einhundert ins Grundwasser gebauten Kellern würden wir ziemlich sicher bis ans Lebensende nicht mehr aus dem Schlamassel herauskommen.

Da wird man alt. Über Nacht wird man alt! In Ehren ergraut war ich schon. Und das sollte so bleiben! Jetzt galt es, um jeden Preis unseren guten Namen zu erhalten, und der Preis war verdammt hoch.

Heutzutage wird gerne gefragt: »Wenn Sie nur

einen Wunsch frei hätten, der Ihnen ein gutes und lebenswertes Alter garantiert, was würden Sie sich wünschen?«

Jetzt, im Alter von dreiundachtzig Jahren, weiß ich genau, wovon ich rede: »Es ist die Partnerschaft mit einem Menschen, dem man rückhaltlos vertrauen kann!«

Was hatte ich damals, vor sechsundfünfzig Jahren, an unserem Hochzeitstag zu Gundel gesagt? »Sollten wir aber irgendwann aus irgendeinem Grund plötzlich kein Geld mehr haben, ist es deine Schuld!«

Jetzt hatten wir nichts mehr, und es war keineswegs ihre Schuld. Im Gegenteil, sie hatte gewarnt. Nachdem das Kind im Brunnen war, sagte sie nicht, sie hätte es gewusst.

Zum Zusammen-alt-Werden gehört erst einmal das Zusammenleben! Und dafür haben wir unsere private Formel, die ich gerne weitergebe:

Vertrauen – Verstehen – Verzeihen – Verzichten!

Hört sich leicht an?

Nachmachen!

Die Abkehr vom »Ich« und das konsequente Bekenntnis zum »Wir«.

Nachmachen!

Bei uns war von Anfang an klar, wer was macht.

Mir blieb eben die Küche. Ganz einfach, weil ich besser kochen konnte. Von Kind an war ich begeisterter Vertilger schwäbischer Hausmannskost, die meine Mutter vorzüglich auf den Tisch brachte. Saure Kartoffelrädle mit Zwiebelsoß, Maultaschen, in der Brüh, oder g'schmelzt, mit Zwiebel und Kartoffelsalat, Linsen mit Spätzle und Saidewürstle, Sauerbraten, Zwiebelkuchen, Gaisburger Marsch und Suppen, Suppen, Suppen.

Meine Brüder, Wilfried und Otmar, erblickten relativ kurz hintereinander, Anfang der Dreißigerjahre, das Licht der Welt. Zu diesem Zweck begab sich unsere Mutter in ein nahe gelegenes Entbindungsheim. Hübsch an einem Hang an der Heidelberger Bergstraße gelegen führte der Weg dorthin über eine steil aufwärtsführende Straße, die wir halbstarken Jungs in der Gegend im Winter als nicht ungefährliche Rodelbahn benutzten. Ein Schild, gleich am Portal zum Entbindungsheim, verbot das ausdrücklich, wegen kreuzender Autos am Ende der Zufahrt, was den Reiz an der Schussfahrt auf dem Bauch noch erhöhte.

Größere Sorgen machte mir da ein weit wichtigeres Problem. Für die Zeit der stationären Schwangerschaft meiner Mutter litt ich unter den unterentwickelten Kochkünsten unserer Hausangestellten, damals Dienstmädchen genannt. Vermutlich entstand da mein ausgeprägter Wunsch nach Unabhängigkeit. Ich fing an zu kochen. Zunächst Bratkartoffeln und Salat. Im Lauf der Zeit geriet meine Kocherei zu respektabler Fertigkeit, jüngst, im Alter, veredelt durch unseren Freund und Meister Alfons Schuhbeck.

Aber ich schweife ab. Zurück zur harten Wirklichkeit, zurück zur Pleite des Bauunternehmens.

»Kümmere du dich um deine Filme und verdien' das Geld, ich bleib hier und vertrete dich vor Gericht und auf der Baustelle!«

Gundel übernahm das Regiment, wurde zu »meiner Regierung« und managte den unvermeidlichen Untergang der Firma.

Dabei wurde sie zum perfekten Polier, wie sie gerne sagte.

Je mehr sie ihre weibliche Intuition einsetzte, in nerviger Beharrlichkeit »ihre Frau stand«, desto mehr respektierten sie die Bauherren, ließen uns Luft zum Atmen, wurden kompromissbereit. Gerettet aber hat uns ein Bekannter.

»Ich kann nicht zusehen, wie man euch das schöne Haus wegnimmt und ihr ausziehen müsst!«

Als Vorstandsmitglied einer großen Bank hatte er die rettende Idee.

»Überlass uns alle noch freien Grundstücke zum Verkauf an die Interessenten. Die Gelder fließen nicht mehr in deine Firma, sondern direkt zu uns. Wir übernehmen die Gesamtabwicklung. Damit verhindern wir eine Kündigung der Kredite. Deine Firma kommt um die Zwangsversteigerung herum, die eure Verpflichtungen bei Weitem nicht decken würde.«

Das war's! Halleluja! Eine Unterstützung, aus der eine wundervolle Freundschaft wurde. Danke!

Die Geier kreisten vergeblich über unseren Köpfen. Radikal änderte sich unser Leben über Nacht. Meine Regierung entschloss sich zum Äußersten: Sie ergriff die Initiative und veranlasste die »Amputation des zweiten Beines«, die Liquidierung des Unternehmens, das so erfolgreich begonnen hatte, gedacht als Alterssicherung jenseits der unsicheren Schauspielerei. Wir waren in einen Strudel geraten, der uns mit unwiderstehlicher Gewalt in den Abgrund zu reißen drohte.

Was tun? Konkurs anmelden, oder gar den Offenbarungseid leisten, mit der Konsequenz, in der Öffentlichkeit am Pranger zu stehen?

Geht nicht! Also Augen zu und durch! Freundschaft vergessen, harter Schnitt, Lehrgeld zahlen. Und sich so wenig wie möglich anmerken lassen. Nur wenige wussten davon – und hielten dicht. So Hannes Obermaier, der gefürchtete »Hunter«, erster deutscher Klatschkolumnist der Münchner

Abendzeitung. Wenn er berichtet hätte, wie es um den »Filmstar« stand, vermutlich hätte keiner mehr dem »armen Schwein« ein faires Angebot unterbreitet.

Gundel stand »ihre Frau«. Nachdem die »Fuchsberger Siedlung« in der Münchner Eichenau stand, konnte ihr niemand mehr ein X für ein U vormachen. Auch ich nicht. Diese bittere Erfahrung brachte einige lebenswichtige Erkenntnisse:

a) Was du machst, mach es allein!

b) Mach nur Dinge, von denen du was verstehst!

c) Hör auf den Rat deiner Frau! Mach sie zur letzten Instanz.

d) Wenn du mit c) Schwierigkeiten hast, such dir eine neue Frau.

e) Finde den Anwalt, der dich vor der Unterschrift aufklärt, was passieren kann, wenn du mal unterschrieben hast.

f) Mach auf keinen Fall den Fehler, aufzugeben, großes Klagegezeter anzustimmen, Trost im Alkohol oder anderen Drogen zu suchen, auf Hilfe von außen zu warten, die Schuld bei anderen zu suchen. Du bist für dich selbst verantwortlich. Einsicht ist der erste Weg zur Besserung. Also sieh ein, dass du Mist gebaut, nicht aufgepasst, dich selbst überschätzt hast. Denk intensiv darüber nach, wer dir zu was geraten und wer dir von was abgeraten hat. Trenne die Spreu vom Weizen in deinen Beziehungen, mach »Tabula rasa«.

Vielleicht gehöre ich zu den »Verdrängern«. Soll heißen: Ich zerfleische mich nicht selbst mit meinen Problemen. Ich verdränge sie mit allen möglichen Erklärungen, immer mit dem Ziel, mich mit der Situation abzufinden. »Shit happens« ist ein guter Spruch und hilft, dass Ungemach dich nicht lahmlegt, deine Kraft zum Neubeginn nicht schmälert oder verhindert. Ein kluger Jockey beginnt ein Hindernisrennen nicht schon am Start mit der Angst vor jeder Hürde. Natürlich kennt er den Parcours, aber den Sprung setzt er erst an, wenn er dicht vor der Hürde ist. Das Leben ist so was Ähnliches wie ein Hindernisrennen! Zwar länger und auch den Parcours kannst du nicht vorher studieren, und manchmal kommt es dir vor, als wärst du nicht der Reiter, sondern das Pferd, dem unterwegs die Puste ausgeht.

Wenn du aber während deines Hindernisrennens mal nicht so glatt über die Hürde kommst, oder vielleicht gar nicht, oder du fliegst aus dem Sattel und landest im Dreck, steh auf, klopf den Staub vom Kostüm und fang wieder von vorne an!

Einer meiner Wegweiser ist das Lied von Nat King

Cole: »Get yourself up, dust yourself off – and start all over again!«

Ich geb's ja zu – ohne die sprichwörtliche Portion Glück kannst du dir den Hintern aufreißen, so viel du willst, du kommst trotzdem nicht wieder auf die Beine. Mein Glück war der Boss eines Kölner Duftwasserunternehmens. Glücklicherweise hatte er gerade Zoff mit einer amerikanischen Werbeagentur.

»Machen Sie mir eine neue, originelle Konzeption. Wenn Sie mich überzeugen, kriegen Sie den Auftrag für zwölf Spots im Fernsehen.«

Was ich ihm schickte, brachte mir den Auftrag, mit einem Münchner Produktionsteam die gewünschten zwölf Spots zu drehen. Die erste, schwere Hürde bei diesem Hindernisrennen war genommen. Wir hatten Luft.

Das mit dem dicken Fell ist so eine Sache. Du meinst, du hast es. Bist gewappnet gegen Gefühlsduselei. Nach allem, was das Leben für dich schon parat hatte, Bombennächte mit vielen Toten, Fronteinsätze mit noch mehr Toten, Kriegsgefangenschaft und was sonst noch alles. Da meinst du, dich könnte nichts mehr aus den Stiefeln heben. Denkst du ...

Da sitze ich also eines Tages am Schreibtisch, ein

leeres Blatt Papier vor mir, zermarterte mir das Hirn für einen möglichst originellen Werbespot, mit dem die Fernsehzuschauer dazu verführt werden sollten, das Kölner Duftwasser literweise über sich zu schütten. Mir fiel verdammt noch mal nichts ein.

Unbemerkt schlich sich unser kleiner Sohn Thomas heran, stand einen Moment hinter mir. Er war grade mal zehn Jahre alt. Plötzlich legte er seinen Arm um mich, wie bei einem alten Kumpel, und sagte: »Papi, die Mami hat gesagt, wir sind jetzt arm! Du brauchst mir kein Taschengeld mehr zu geben.«

Pause. Trocken schlucken. Dann riss es mich.

Ich nahm meinen Jungen in den Arm und heulte Rotz und Wasser. Was sollte mir noch passieren, mit so einer Familie im Kreuz?

Ich wollt' ja nur ...

Immer deutlicher wird, dass du das Altwerden fast vergessen kannst, wenn du in einer harmonischen, ergänzenden Partnerschaft lebst. In unserem Beruf nicht einfach: Du reist in der Weltgeschichte herum, triffst auf interessante Menschen und gerätst in mancherlei Hinsicht in Versuchung, und das manchmal nicht zu knapp. Komme mir keiner mit der Behauptung, aus moralischen Gründen dagegen gefeit zu sein. Da brauchst du Hilfe, und die kann eigentlich nur vom Partner kommen. Am besten dergestalt, dass du ihn oder sie einfach mitnimmst. Immer und überall! Gelegenheit macht nicht nur Diebe, sondern auch Liebe. Also meine Familie war fast immer da, wo Versuchung angesagt war. So auch bei einem Film in Rom. Rom ist immer eine Versuchung, und schon gar an einem herrlichen Sonntag. Blauer Himmel über der Ewigen Stadt. Drehfrei – und die Familie aus dringenden Gründen tausend Kilometer weiter nördlich. Die Produktion hatte mir ein fürstliches Apartment in einem alten, römischen Patrizierhaus, fast ein Palast, zur Verfügung gestellt. Direkt an den Mauern des römischen Zoos.

Früh am Morgen, sehr früh, hungrige Tierstimmen weckten den Schläfer aus seinen Träumen. Elefanten trompeteten, in der hausgroßen Voliere pfiffen und krächzten die gefiederten Gefangenen ihre Sehnsucht nach Freiheit in den klaren, durch Maschendraht versperrten Himmel. Irgendwelche Huftiere wieherten ihrer verlorenen Wildbahn, irgendwo in Afrika, hinterher.

Das alles drang an diesem Sonntagmorgen durch schwere Brokatvorhänge in das antik dunkel eingerichtete Schlafgemach, in dem ich einem vermutlich langweiligen Tag entgegendämmerte. Erst einmal Vorhänge zurück und die bis zum Boden reichenden Fenster auf. Römische Luft, wie Seide. Über eine hohe Mauer hinweg sah ich direkt hinein in einen stillen Winkel des Tiergartens der Stadt von Romulus und Remus. Einladend eine Osteria, die gerade für die zu erwartenden Besucher hergerichtet wurde. Tischdecken ausgebreitet, Sonnenschirme neben die Tische, Servietten und Bestecke ausgelegt, Karaffen und Gläser noch mal mit karierten Tüchern poliert. Der Entschluss stand fest: kein ausgedehntes Sonntagsfrühstück, nein, heute eine köstliche Mahlzeit im Zoo. Unter Palmen, mit exotischen Tierstimmen, eine Minestrone mit geröstetem Weißbrot, Spaghetti carbonara, oder lieber bolognese, mal sehen. Danach ein Piccata milanese, Tomatensalat, bedeckt mit fein geschnittenen, roten Zwiebeln und verschiedenen, in Olivenöl gebackenen Gemüsen. Dazu ein Glas trockener Weißwein aus dem Friaul, oder auch zwei. Herrlich die Vorstellung – allein, und keiner kümmert sich darum, ob ich rasiert bin!

Mit dieser verlockenden Vorstellung machte ich mich auf den Weg. Schlappe tausend Meter vielleicht, durch die schmale alte Straße, die den Zoo vom Hotel trennt, entlang der hohen Mauer, die das Tierreich säumt.

Ich war in Hochstimmung, bis ich um die letzte Ecke bog. Der Blick wurde frei auf den Haupteingang. Mehrere Kassenhäuschen, und alle belagert. Schlangen von Menschen mit schreienden Kindern. Römische Kinder können das besonders gut. Viele Familien hatten beschlossen, diesen samtenen Sonntag mit den Tieren zu verbringen. Vielleicht lief am Abend vorher im Fernsehen ein Werbespot, was weiß ich?

Da sollte ich mich jetzt anstellen? Nein danke!

Die Freude auf ein kulinarisches Highlight in einer romantischen Osteria im römischen Wildgehege war schlagartig weg. Geplatzt wie ein bunter Luftballon.

Wieso, weiß ich nicht, aber das physikalisch bekannte Beharrungsvermögen trieb mich vorwärts, langsam, aber stetig.

Zugegeben, es konnte der Eindruck entstehen, als versuchte da ein älterer Herr sich vorzudrängen. Schritt für Schritt ging ich neben der Menschenreihe in Richtung Kassenhäuschen, einige fingen an zu murren. Um Ärger zu vermeiden, blieb ich stehen, brachte einen Abstand von vielleicht zwei Metern zwischen die Leute und mich. Die Römer sind zwar bekannt für ihr betont ruhiges Gemüt, bei vielen hat man das Gefühl, sie schlafen beim Sprechen ein, aber wer weiß?

Und hier, von der Seite, hatte ich freien Blick auf

das Kassenhäuschen. Dort saß eine Schönheit Marke Sophia Loren. Donnerwetter, war die hübsch. Und sie sah direkt zu mir her, stutzte einen Augenblick, lächelte und gab mir ein Handzeichen. So ganz traute ich dem Braten nicht, zeigte auf mich und hielt sie fest im Blick. Sie nickte und winkte wieder, ich deutete das als »... ich hab dich erkannt, komm her!« Das tat ich dann auch.

Mit geschwellter Brust steuerte ich auf die Cassa zu, überlegte krampfhaft, welche Art von Kompliment bei dieser Bellissima wohl ankommen würde, als sie mir ohne jede Emotion die nüchterne Frage stellte: »Quanti anni ...?«

Wieso wollte sie mein Alter wissen? Sollte ich das noch nicht erörtert haben, tue ich es jetzt: Seit meiner Jugend habe ich den Tick, mich älter zu machen, als ich bin. Fragen Sie mich nicht, warum, es ist halt so. Auch in diesem kritischen Augenblick, vor der Cassa mit der attraktiven Kassiererin.

»Settanta«, sagte ich, obwohl ich erst 68 Lenze zählte.

Sie nahm das zur Kenntnis, einfach so, kein Lächeln, kein anerkennender Blick, nichts, was ein weitergehendes Interesse an einer Begegnung signalisiert hätte.

Ohne den Blick von der automatischen Eintrittskartenausgabemaschine zu wenden, erklärte sie lakonisch: »Besucher über siebzig haben am Sonntag freien Eintritt, sie brauchen sich nicht anzustellen ...! Einen schönen Tag, Signore ...!«

Den wünschte ich ihr dann auch, bedankte mich für die sonntägliche Großzügigkeit der römischen Zooverwaltung und begab mich leicht irritierten und meinem Alter angemessenen Schrittes in Richtung Osteria an der Mauer.

Mit Aglio e olio bestrichenes Weißbrot, Zuppa di Verdura, Spaghetti bolognese, Tomatenscheiben mit Zwiebeln. Alles war wie erwartet gut, sehr gut sogar. Aus dem vorgenommenen Glas Wein, vielleicht auch zwei, wurde, aufgrund des schnellen Alterungsprozesses an der Cassa, die ganze Flasche. Verstehen Sie das?

Manchmal wird aus einem kleinen Missgeschick eine große Peinlichkeit. Wirst du älter, solltest du deine Aufmerksamkeit darauf richten, wohin du gehst. Nicht Party, Kino, Theater, Diskothek oder so etwas, nein, ganz einfach: Wohin du trittst, meine ich.

Im Alter sind die Füße langsamer, das Hirn auch. Es kann passieren, dass du in Gedanken versunken dahinschlurfst und – rrrumms – liegst du auf der Schnauze. Im vorliegenden Fall auf dem Rücken, wie ein Maikäfer. Streckst alle viere in die Luft, nicht imstande, dich zu erheben und so zu tun, als sei nichts geschehen. Das ist mir passiert! Wäre ja nicht so schlimm, die blauen Flecke vergehen wieder, und die gezerrten Muskeln werden's irgendwann auch wieder tun. Aber der Fleck auf der Seele bleibt. Ausgerechnet vor einem Mode- und Miedergeschäft, vollbesetzt mit kauf- und klatschbereiten Damen der Grünwalder Society, hat es mich erwischt. Eine nicht ganz sauber verlegte Fliese im ansonsten sehr künstlerisch gestalteten Boden des »Kurzenhofes« wurde mir zum Verhängnis. Da lag ich nun, gestolperter und gestürzter Kino- und Fernsehheld, der verzweifelt versuchte, auf die Beine zu kommen, unter den schreckstarren Augen der Damen im Mieder- und Modegeschäft.

Die Schreckstarre dauerte nicht lange. Wie auf Kommando stürmten die Damen aus dem Laden, dem Gestrauchelten auf die Beine zu helfen, dem Armen die teuer beringten Hände entgegenzustrecken, ihn aus dem Straßenstaub zu ziehen. Wirklich demütigend waren die zweifellos gut gemeinten Kommentare.

»Oh Gott, wie schlimm! Haben Sie sich wehgetan?«

»Können Sie allein nach Hause gehen?«

»Ihre Frau wird einen schönen Schrecken bekommen!«

»Sollen wir einen Krankenwagen rufen?«

»Brauchen Sie ein Glas Wasser?«

»Ist Ihnen schlecht geworden?«

»Soll mein Chauffeur Sie heimfahren?«

»Ach ja, mein Mann fällt auch manchmal um ...!«

Endlich stand ich wieder – und wollte eigentlich nur noch im Boden versinken. Die »Über-Tisch-und Bänke-Springzeit« war vorbei, runter mit der Nase, die Augen auf den Boden gerichtet, damit du siehst, wo du hinfällst, alter Mann.

In schlaflosen Nächten drehten sich meine Gedanken ausschließlich um die mutmaßlichen Bemerkungen der Damen nach meinem unrühmlichen Abgang. Ich konnte sie hören:

»Er ist halt auch nicht mehr der Jüngste!«

»Die Zeit bleibt auch für Stars nicht stehen ...!«

»Ich treffe ihn oft im Supermarkt, beim Einkaufen, da macht er einen ganz rüstigen Eindruck ...! Ein netter alter Herr ...!«

»Auf der Speisekarte im Forsthaus steht er schon mit seiner eigenen Suppe ...!«

»Jetzt geht er auch schon am Stock ...!«

»Als Kind durfte ich immer nur seine Fernsehsendung sehen ...!«

»Meine Enkel mögen seine Wallace-Filme ...!«

»In seinem letzten Film war er sogar Papst ...!«

»Weiße Haare hat er ja schon lang ...!«

Richtig, genetisch bedingt. Meine Mutter war mit vierzig schneeweiß. Irgendwann wurde der Schimmelwuchs zur »Trademark«. Eitelkeit war schon auch im Spiel. Die schönen Damen, die mich laut Drehbuch zu lieben hatten, manchmal nicht zu knapp, vertrauten sich einem grau melierten, glücklich verheirateten Ehemann lieber an als einem schwarzgelockten Ladykiller.

Im Vertrag mit Constantin Film stand unter Fach: »Männlicher Sympathieträger« – Okay. Nur, verdammt noch mal, wie macht man das? Eine Verpflichtung, der nachzukommen nicht leicht war. Schon wegen des Ermessensspielraums. Wie weit geht der Einsatz eines »männlichen Sympathieträgers«? Außerdem, in diesem Fach scheint der Alterungsprozess früher einzusetzen als in allen anderen. Zwar hast du die gewaltige Schutzmacht der Frauen hinter dir, aber gegen dich den nicht zu unterschätzenden Neid deiner Geschlechtsgenossen.

»So stark, wie der tut, ist er bestimmt nicht. Dem würde ich gern mal zeigen, was 'ne Harke ist! Da sieht er dann ziemlich alt aus!«

Das war dann wohl auch so.

Da war ich einmal auf einem Postamt. Ziemlich lange Schlange. Angestaut, weil ein Kunde sich mit der Schalterbeamtin verhakt hatte. Da ging's richtig zur Sache, aber leider nicht mehr vorwärts. Der Gedankenaustausch zwischen Schalterbeamtin und Kunde steigerte sich seitens des Kunden zu interessanten Verbalinjurien.

»Du Arschloch wolle nicht verstehen meine gutte Deutsch. Du nix wolle Ausländer in deine Land – du blöde Kuh nix wolle geben meine Geld ...«

Die Beamtin hatte alle Werte auf Null geschaltet. Wie erstarrt stand sie hinter ihrem Schalter und hörte sich das Gebrüll des vermutlich östlich der Oder-Neiße-Linie geborenen Kunden an. Am Schalter daneben zeigte ihr männlicher Kollege nicht das geringste Interesse, helfend einzugreifen.

Als das gern und oft gebrauchte Wort »Arschloch« bei der Schalterbeamtin auch beim dritten Mal keine Wirkung zeigte, sah ich mich dummerweise verpflichtet einzugreifen. Warum bloß? Ging mich doch gar nichts an! Alle anderen nahmen doch auch ruhig und gelassen an diesem west-östlichen Schlagabtausch teil. Außerdem war da ja der männliche Kollege, sollte der sich doch um den Schutz seiner auf Lebenszeit verbeamteten Kollegin kümmern!

Im Grünwalder Postamt sah ich mich vom Schicksal vor eine Entscheidung gestellt. Entweder: Schauen wir mal, was passiert, einer wird's schon richten – oder: Verteidigung deutscher Beamtenwürde, noch dazu weiblicher, von wegen »männlicher Sympathieträger«!

Vielleicht hatte ich es auch nur eilig, meine Regierung wartete im Wagen vor dem Postamt. Sie würde sich wohl schon wundern, wo ich blieb. Sie macht sich immer Gedanken! Also beschloss ich einzugreifen! Ich Dummkopf!

So verließ ich den Schutz der Schlange vor dem Schalter, näherte mich energischen Schrittes dem erregten Gastarbeiter, legte ihm besänftigend die Hand auf die Schulter: »Lieber Freund, bei uns hier in Deutschland brüllt man nicht in der Gegend herum und beschimpft keine Postbeamtin. Bitte gehen Sie raus an die frische Luft und beruhigen Sie sich. Am besten suchen Sie ein anderes Postamt, hier werden Sie keine Briefmarke mehr bekommen!«

Der Sinn meiner Worte schien sich ihm nicht so recht zu erschließen. Er sah mich einen Moment verdutzt an, kam zu dem Schluss, dass ich ihn wohl nicht gebührend ernst nehme, und stieß mich mit beiden Fäusten vor die Brust.

»Du alte Arschloch, du warte, bis ich fertig bin!«

Der Stoß warf mich rückwärts in die Arme der

jetzt teilnehmenden Postkunden. Eine an sich günstige Position, aber mein Gegner hatte den Wunsch, die Attacke fortzusetzen. Dabei brachte er sich in eine ungünstige Position, die mich in die Lage versetzte, ihn in den Hintern zu treten. Eine Handlungsweise, die in anderen Kulturkreisen als tiefste Ehrverletzung gilt und entsprechende Reaktionen auslöst.

Im Fernsehen und im Radio sieht und hört man doch ab und zu, dass das Messer im osteuropäischen Raum ganz gern auch außerhalb der Mahlzeiten benutzt wird. Zwar gibt es keine Statistiken, wie schnell dieses geschliffene Kulturgut zum Einsatz kommt. Auch nicht über warnende Vorzeichen bei Ausfall der Kontrollmechanismen beim Träger des Kulturgutes. Dessen innere Stimme sagt vermutlich völlig überraschend: »Hallo – deine Ehre wurde soeben mit Füßen getreten, du musst dich jetzt rächen, und zwar hieb- und stichfest!«

Wenn der Entehrte auf seine innere Stimme hört und diese auch ernst nimmt, hast du ein Problem. So eine innere Stimme kann enorme Kräfte entwickeln, mit denen der Entehrte im ersten Augenblick nicht so recht was anzufangen weiß. In solchen Fällen spricht man von Affekthandlung. Sah ich mich einer solchen in diesem Augenblick vielleicht gegenüber? Wer weiß, was die innere Stimme ihrem Besitzer gerade zuflüsterte? Vielleicht, dass es an der Zeit sei, mein Leben in der Schalterhalle des Grünwalder Postamtes zu beenden?

Der Gesichtsausdruck meines Kontrahenten ließ immerhin etwas in dieser Richtung befürchten.

Plötzlich löste sich die Starre der Zuschauer. Sie nahmen teil am Geschehen, ergriffen Partei für mich. Lediglich der männliche Kollege hinter dem Schalter konnte sich immer noch nicht zu einer Regung entschließen. Er ignorierte den Vorfall total. Möglicherweise mahnte ihn seine innere Stimme: »Ein deutscher Beamter regt sich nicht auf. Wenn du nichts tust, kannst du nichts falsch machen!«

Das Publikum spaltete sich. Die einen drängten den Mann mit vereinten Kräften zum Ausgang, die anderen brachten mich, unter Anführung der ortskundigen Angegriffenen, zunächst hinter den Schaltern in Sicherheit und anschließend zum Hinterausgang. Die während des strategischen Rückzugs abgesonderten Kommentare waren eher beleidigend denn beruhigend.

»Was haben Sie sich dabei denn gedacht?«

»In Ihrem Alter fängt man doch keine Schlägerei mehr an ...!«

»Da hätte ja weiß Gott was passieren können ...!«

Das hatte ich nun davon.

Der am meisten erniedrigende Spruch war: »Was wird denn Ihre Frau dazu sagen ...?«

Die wiederum saß im Auto, am Hinterausgang, und war erkennbar alarmiert.

»Ach du lieber Gott, was ist denn jetzt schon wieder passiert?«

Das war genau der Tonfall, den ich besonders mag. Ich versuchte, zu erklären, zu bagatellisieren, aber meiner Regierung kann man nun mal kein X für ein U vormachen. Sie war entsetzt. Und jetzt erklär mal einer entsetzten Ehefrau, dass das Ganze gar nicht so dramatisch war.

»Ich hab doch nur ...« – weiter kam ich nicht.

»Warum musst du dich denn da einmischen? Jetzt verfolgt uns der Kerl bis an unser Lebensende!«

Sie hatte den Kerl überhaupt nicht gesehen, war aber überzeugt, dass er uns bis an unser Ende verfolgen würde. So etwas kann man einer liebenden Ehefrau nur schwer ausreden. Oder?

Die Wogen glätteten sich nur langsam, aber das Fazit stand fest: In meinem Alter hat man sich aus solchen Sachen gefälligst herauszuhalten. Die Jungen sind schneller, stärker, hemmungsloser, brutaler. Sie schlagen oder treten die Alten zu Tode, wenn ihnen was nicht passt. Ja, das weiß ich, nur fällt die Einsicht schwer, dass Zivilcourage etwas mit dem Alter zu tun hat. Wenn ich sehe, dass jemand ungerecht ange-griffen wird, versuche ich zu helfen. Ich halte das für meine Bürgerpflicht. Da geht der Gaul mit mir durch, und ich überlege nicht lange, ob sich das in meinem Alter noch geziemt.

Da meine Regierung das in sechsundfünfzig Ehe-jahren schon ein paar Mal erlebt hat, zieht sie mich beim geringsten Anzeichen meines Eingreifens in die Angelegenheiten anderer energisch aus der Gefah-renzone.

Ich gebe zu, dass meine Neugier langsam nach-lässt, ob ich mit meinen Judokenntnissen von vor fünfzig Jahren – schwarzer Gürtel, erster Dan – noch was reißen kann. Ich lass es lieber nicht drauf ankom-men, es sei denn, es muss sein.

Es muss sein!

»Es muss sein«, sagte Professor Dr. med. Bruno Reichardt, renommierter Herz-Chirurg, Chef der Kar-diologie im Klinikum Großhadern. Er bemühte sich um eine der Mitteilung entsprechend ernste Miene.

Nach längeren Überlegungen und vielen Ge-sprächen, ob überhaupt, und wenn ja, wann, wo und von wem die Operation am offenen Herzen vorgenommen werden soll, war die Wahl auf ihn gefallen. Alle meinten: »Der ist der Richtige!«

Jetzt saßen wir also vor dem Nachfolger des weltberühmten Christiaan Barnard, dem am Groote-Schuur-Krankenhaus in Kapstadt, Südafrika, die erste Herztransplantation gelungen war. Eine Operation am offenen Herzen gehört ja immer noch zur Königsdisziplin der Chirurgie. Die Entscheidung, diese Kunst an dir selbst ausführen zu lassen, bringt dich jedoch gehörig ins Grübeln.

Reichardt verstand es sehr gut, uns Mut zu machen. Für ihn war das sicher tägliche Routine, aber was bedeutete das für mich?

Dreiundsiebzig Jahre alt, immerhin, da geht einem so manches durch den Kopf. Sechzig Jahre lang geraucht wie ein Schlot! Die Kriegsjahre! Die Hungerjahre! Die Feste, die gefeiert wurden, wie sie fielen! Die harte Arbeit im Showgeschäft, auch nicht gerade die gesündeste Lebensweise! Wer weiß, was da alles rauskommt, wenn sie dich jetzt aufschneiden, dein Brustbein zersägen, nach Adern suchen, die als Umweg benutzt werden können, um die herum, die bereits verstopft sind.

Wenn du dir das vorstellst, wird dir schon etwas blümerant. Du brauchst Beistand, und der kam von meiner Regierung. Gundel hat nur allzu oft bewiesen, welche Entscheidungskraft in ihr steckt, wenn es eng wird. Mit welch klarer und sachlicher Konsequenz sie der Realität die Stirn bietet. Sie ahnte wohl, in was für einer Verfassung ich gerade war, sah mich an, nahm meine Hand und fragte den Professor: »Wann können Sie meinen Mann operieren?«

»Ich habe schon einen Termin für Sie reserviert, das wäre der 24. März.«

»Mein Geburtstagsgeschenk für dich«, sagte ich und hatte das Gefühl, der Termin sei ein gutes Omen!

Da kann mir einer sagen, was er will, von dem Moment an, wo du weißt, sie werden dich splitternackt auf eine flache Liege aus V4A-Edelstahl legen, werden dich aufschneiden, werden dein Brustbein fein säuberlich der Länge nach zersägen, dich auseinanderziehen wie einen Blasebalg, werden neue Leitungen suchen, und wenn sie welche finden, mit den vorhandenen, noch intakten verbinden, damit dein Herz wieder genug von allem bekommt, was es braucht ... Also, von dem Moment an denkst du an nichts anderes mehr.

Erster Gedanke, ganz natürlich: Wirst du das überleben?

Zweiter Gedanke: Wenn ja, wie?

Es geht ja nicht um eine Warzenentfernung. Nein, diesmal geht es ans »Eingemachte«!

So »cool« ist keiner, denke ich, dass er diese Art von »Auseinandergenommenwerden« unbeeindruckt auf sich zukommen lässt. Bevor es so weit ist, treibt es dich umeinander wie einen aus der Hand geratenen Gartenschlauch. Du hast noch so viel zu regeln, für den Fall, dass ...

»Für welchen Fall?«

»Für welchen wohl?«

»Davon spricht man nicht. Du musst vertrauen!«

»Wem?«

»Den Ärzten!«

»Warum lassen sie dich dann unterschreiben, dass du informiert bist, was alles passieren kann, einschließlich Löffelabgabe für immer. So steht es zwar nicht drin, aber das meinen sie wohl ...?«

»Dann vertrau auf Gott!«

»Wenn der aber grade was Wichtigeres zu tun hat, als sich auf einen V4A-Edelstahltisch im Klinikum Großhadern zu konzentrieren, auf dem einer ausgestreckt liegt, der an seiner Existenz gewisse Zweifel hegt ...?«

»Du bist unverbesserlich!«

»Hoffentlich denken die Ärzte nicht auch so, wenn mein Innenleben offen vor ihnen liegt!«

Endlich war es so weit. Schluss mit dem aufgesetzten Getue als Gefühlsathlet. Ich gebe zu, dass ich einen gewaltigen Bammel vor der Operation hatte. Da halfen alle vorbereitenden Gespräche nichts.

Am Tag vorher, es war der 23. März 2000, ging alles ganz undramatisch vonstatten.

Aufnahme, Einweisung ins Zimmer, das Gespräch mit dem Oberarzt, das Gespräch mit dem Anästhesisten – das Gespräch mit dem Anstaltsseelsorger ließ ich ausfallen –, dann kam noch die Verwaltung und ließ sich durch mehrere Unterschriften versichern, dass der Patient a) in der Lage und b) bereit sei, die zu erwartenden hohen Kosten zu begleichen.

Als Allerletzter kam der »Halbgott in Weiß«, Prof. Dr. Bruno Reichardt. Er vermittelte den Eindruck, als habe er sich in seiner langen und überaus beachtlichen Karriere noch nie auf eine bevorstehende Operation so gefreut wie auf die morgen früh.

»Damit Sie die Nacht gut schlafen, habe ich Ihnen ein Sedativ geben lassen. Und keine Angst, Sie sind in guten Händen!«

Ich weiß auch nicht, warum mir plötzlich ein altes Kindergebet einfiel, als sich die Türe hinter ihm geschlossen hatte: »Guten Abend, gute Nacht,

mit Rosen bedacht,

mit Nädlein besteckt (oder sind es Näglein?

So genau weiß ich das nicht mehr.)

schlupf unter die Deck.

Morgen früh, wenn Gott will,

wirst du wieder geweckt.«

Wiederholung:

Morgen früh, wenn Gott will,

wirst du wieder geweckt!

Hoffentlich will er!

Ich lass das mal alles weg, den langen Weg vom Krankenzimmer in den Operationssaal, was sich dort so abspielte, die vermummten Gestalten, die um dich herumwuseln, bis es dann endlich so weit war, dass man mir das Bewusstsein nahm.

Als sich das ganz langsam wieder regte, hatte ich ein Gefühl, als läge ich in einer Röhre oder in einem engen Tunnel. Am Ende der Dunkelheit strahlte ein helles Licht. Vielleicht der Eingang zu drüben ...? Sollte da vielleicht doch was ...?

Plötzlich fing das Licht an zu sprechen. Ich verstand nichts, fühlte aber irgendwie, dass da eine Lichtgestalt mit mir in Kontakt treten wollte. Die Röhre, sie wurde weiter, eine Decke kam ins Bild, völlig verschobene Perspektiven, aber immerhin. Die Lichtgestalt wurde langsam deutlicher, wurde zu einem Menschen. Wie, um Himmels willen, kam denn der in die Röhre? Dicht über mich gebeugt gab er Geräusche von sich, aus denen ich langsam Worte erkennen konnte.

»Sie haben's hinter sich, war ein bisschen schwieriger, als wir dachten, aber alles gut gegangen – Sie sind auf der Intensivstation, – ich bin Ihr Arzt –, ich weiß, Sie können nicht sprechen! Verstehen Sie mich?«

Da war ich mir nicht so sicher, ich versuchte zu sprechen, was aber kläglich scheiterte. Aus meinem Hals hingen Schläuche. Nicht nur aus dem Hals, auch aus dem Bauch und aus den Beinen. Es dauerte ein paar Tage, bis ich das alles verstand.

Im ersten Gefühlsüberschwang, wieder aufgewacht und am Leben zu sein, gab ich dem Doktor den Namen »Dr. Licht am Ende des Tunnels«. Aber wie zum Teufel sollte ich dem Doktor in meinem desolaten Zustand klarmachen, dass das zweite Gefühl war zu verdursten? »Dr. Licht am Ende des Tunnels« kannte sich aus.

»Sie haben vermutlich großen Durst! Aber Sie dürfen noch keinerlei Flüssigkeit zu sich nehmen. Die Schwester wird Ihnen die Lippen befeuchten. Verstehen Sie mich?«

Irgendwie hatte ich mitbekommen, dass ich wohl kein kleines, frisches, schäumendes Münchner Bier bekommen würde. Die Enttäuschung war so groß, dass ich seit dieser Zeit eine ausgesprochene Phobie entwickelt habe. Alles, was ich trinke, muss eiskalt sein, egal, was es ist.

Wie auch immer, über allem lag Dankbarkeit, dass der »Boandlkramer« mit seiner Liste am Klinikum Großhadern vorbeigefahren war. Ich stand eben noch nicht drauf.

Damit hätte es ja genug sein können. Oder? Jeder weiß, nach so einer Geschichte springt man nicht gleich wieder wie Rumpelstilzchen im Wald herum. Erst eine Woche auf der Intensivstation. Da ging's einigen viel schlechter als mir, dann in ein viel zu kleines Zimmer irgendwo im Kellergeschoss, die Franzosen sagen wenigstens noch Souterrain dazu. Wenigstens hörte ich hier die entsetzlichen Hustenanfälle meiner Patientenkollegen nicht mehr, wenn sie ihre schleimverklebten Lungen abhusteten. Ich sage dir, da machst du was mit, da alterst du in einer Woche um Jahre.

Nichts wie weg hier! Irgendwie hatte ich auch das Gefühl, dass man mich ganz gerne losgeworden wäre.

Es wurde beschlossen, mich, sobald es mein Zustand erlaubt, in das Klinikum Harlaching zu überführen.

Die Ärzte dort machten lange Gesichter. Infektion des Brustraumes. Wo hab ich mir die eingehandelt? Na, wo wohl? Da gab's doch gar keinen Zweifel!

Doch, es gab ihn. Die Chefs der beiden Kranken-anstalten trugen ihn auf den Seiten der Zeitungen aus. Resultat: Zurück ins »Fernheizwerk« Großha-dern. Zweite Operation, Intensivstation.

»Diesmal lassen wir Sie erst wieder raus, wenn Sie wirklich ›okay‹ sind.«

Ich wurde es aber nicht. Einer der Ärzte hielt mich für ein »Weichei«, einen »Jammerlappen«, weil ich ständig über Schmerzen klagte. »Na, dann werde ich Ihnen jetzt wirklich mal wehtun ...«, sagte er mit einem Augenzwinkern bei der Visite und stützte sich heftig auf meinen Brustkorb.

»Ach du Scheiße ...«, war sein wenig akademischer Kommentar.

»Was heißt das?«, wollte ich wissen.

»Das heißt, dass ich Sie heute Nachmittag wieder aufmachen muss. Die Verdrahtung um Ihr Brustbein hat sich gelöst! Klar, dass Sie Schmerzen haben!«

Wie tröstlich!

Mit dem Rest will ich Sie nicht langweilen. Nach Wochen in der wundervollen Reha-Klinik »Lauterba-cher Mühle« an den oberbayerischen Osterseen war ich endlich wieder auf den Beinen.

Ob einen so eine markante Auszeit verändert? Si-cher!

Du kommst in den unendlich langen Nächten unweigerlich ins Grübeln. Erstaunlich, was einem da so alles durch den Kopf geht. Dinge, über die du mit niemanden redest, nicht mit deiner Frau, nicht mit deinem Sohn, nicht mit den Ärzten. Gedanken, mit denen du dich nur allein herumschlagen willst.

Stimmt die Philosophie noch, die du dir ein Leben lang zusammengedacht hast? Kehre ich zum Glauben an Gott zurück, um vielleicht doch alles etwas leichter zu machen? Oder bleibe ich weiter bei meinem erklärten Agnostizismus, der Verweigerung der Anerkennung des übersinnlichen Seins?

Bin ich ein Produkt der Schöpfung? Oder das Ergebnis der Evolution auf unserer Erde in Milliarden von Jahren?

Gerade habe ich wieder so eine Phase überlebt. Im Dezember 2009 musste ich notgedrungen die Arbeit an diesem Buch vorübergehend einstellen.

Ohne jede Vorankündigung, durch eine Grippe vielleicht, möglicherweise eine Lungenentzündung, keine Ahnung: Auf jeden Fall fühlte ich mich von Tag zu Tag miserabler. Keine Konzentration mehr, Appetitlosigkeit, Balancestörungen, Atemnot, rapide Gewichtsabnahme, genug, um den Computer abzuschalten. Ein Gefühl, als ob irgendwo im Körper ein Loch war, aus dem die Kraft zu fließen schien.

Ich schreibe das nicht, um Mitleid zu erregen, sondern um zu schildern, wie schnell und unvorbereitet es einen erwischen kann. Und kein Doktor kann dir sagen, was es ist. Ohnehin ein Phänomen: Frag' zehn verschiedene Ärzte, und du bekommst zehn verschiedene Diagnosen.

Ähnlich war es auch diesmal.

»Virusinfektion« war die Diagnose, auf die sich alle einigten, nachdem die Schweinegrippe ausgeschlossen werden konnte. Mit dieser Virusinfektion landete ich in der Intensivstation eines nahe gelegenen Krankenhauses. Allzu viel habe ich nicht mehr mitbekommen. Erst später erzählte meine Frau, dass die Familie darauf vorbereitet wurde, mit dem Schlimmsten zu rechnen.

Da waren sie wieder, die Gedanken, die du eigentlich mit dir allein abmachen möchtest. Wie geht es weiter? Was wäre wenn ...? Ob du willst oder nicht, du musst mit deinen engsten Vertrauten darüber reden.

»Ich will davon nichts hören«, sagte Gundel, »du lebst, und das ist die Hauptsache!«

»Diesmal war's eng, wir müssen darüber reden!«

Sie sieht mich mit ihren großen, blauen Augen an, unangenehm berührt, will das Thema verdrängen. Dabei sind die schwierigen Fragen längst geregelt, beim Notar, wie sich das gehört, weil man so die Rechtsgültigkeit am sichersten erreicht.

Diesmal geht es um die emotionale Seite. Was macht der allein bleibende Partner nach sechsundfünfzig glücklichen Ehejahren? Nach über einem halben Jahrhundert gemeinsamer Entscheidungen, wobei es kein »Ich« mehr gab, sondern nur ein »Wir«, ein gemeinsames Leben mit geteilter Freude, geteiltem Leid?

Wie verkraftet man, dass plötzlich nicht mehr da ist, was immer da war? Der Mensch, der ein Leben lang neben dir geatmet, geweint, gelacht, gelobt, kritisiert, gezürnt und verziehen hat? Die Welt ist ohne den anderen nicht mehr vorstellbar. Also genieße jeden Augenblick, der dir noch geschenkt wird, denn jeder neue Tag, den du mit zweiundachtzig erlebst, ist ein Geschenk.

Wo war ich stehen – oder besser gesagt liegen geblieben? Ach ja – bei der Einlieferung auf die Intensivstation.

Also weiter im Text.

Ich erinnere mich an den Besuch von Aenne Burda in meiner ARD-Talkshow »Heut' Abend ...«!

Über meinen Berater Eckhart Schmidt ließ sie mich wissen, dass sie während des Gesprächs nach ihrem

Alter gefragt werden möchte! Wie bitte? Ja, sie besteht darauf. Nun frag mal eine ältere Dame vom Kaliber Aenne Burda in einer Fernsehsendung vor Millionen Zuschauern nach ihrem Alter. Da könntest du auch gleich auswandern. Im besten Fall hielte man dich für einen Flegel, der mit dem ICE durch die Kinderstube gebraust ist. Die wussten ja nicht, dass wir seit vielen Jahren befreundet waren und uns duzten.

»Aenne«, begann ich diesen verbalen Ritt über den Bodensee, »ich tu das sehr ungern, aber du möchtest, dass ich dich nach deinem Alter frage!«

»Ja – warum denn nicht?«

»Weil ich ungern als Flegel der Nation dastehen möchte.«

»Also gut«, wendet sie sich an die Zuschauer im Studio, »ich hab ihm g'sagt, dass er mich das fragen soll. Ich bin fünfundsiebzig und denke, ab jetzt ist jeder Tag ein Geschenk des Himmels. Ha ja, es kann doch sein, dass ich mich über die Fragen vom Blacky so aufreg', dass mich jeden Moment der Schlag trifft und ich tot vom Stuhl falle!«

Raunen im Publikum.

»Nein, nein«, beschwichtigte sie, in ihrem Sprach-Mix aus Badisch und Schwäbisch, »habbe Se keine Angscht, des passiert schon net! Mir macht's Leben noch viel zu viel Spaß und die Arbeit auch! Deshalb mach ich noch so viel und freu mich jeden Tag, wenn ich aufwach' und merk', dass ich noch g'scheit denken kann. Geht's Ihnen nicht auch so?«

Die Zuschauer im Studio jubeln ihr zu. Was für eine Frau!

Gundel und ich hatten die Ehre, zu ihrem 80. Geburtstag an ihrem Tisch in Brenner's Park-Hotel in Baden-Baden zu sitzen, staunend, mit welcher Souveränität sie die ultimativen Lobhudeleien über sich ergehen ließ und manch einem der Hudler eine entwaffnende Abfuhr erteilte.

Wenn's dem Esel zu gut geht ...

Prägende Erlebnisse meiner Kindheit, in den frühen Dreißigerjahren des letzten Jahrhunderts. Ein Flugtag auf dem Flugplatz Mannheim, mit anschließendem Rundflug in einer offenen »Klemm 26«. Danach, richtig aufregend, Besichtigung des größten Flugbootes der Welt, der »DO-X«, erbaut vom genialen Luftfahrtpionier Claude Dornier.

Der tödliche Unfall von Bernd Rosemeyer, neben Rudolf Caracciola Star der damaligen Formel 1. Caracciola fuhr Mercedes, Rosemeyer Auto Union.

Auf dem Flugplatz Mannheim warteten Tausende froh gestimmter Menschen auf den damals berühmtesten Kunstflugpiloten der Welt, Ernst Udet.

Höchstdekorierter Kampfflieger des Ersten Weltkriegs, später General in der wieder erstandenen Luftwaffe, in die Literatur eingegangen als Zuckmayers Romanfigur »Des Teufels General«.

Es ist 10.00 Uhr, an einem Vormittag vor ungefähr zwanzig Jahren. Die genaue Zeit spielt eigentlich keine Rolle. Vielmehr das, was an diesem Tag geschah.

Mit meinem Sohn Thomas ging ich auf dem Münchner Oberwiesenfeld um ein kleines, sehr elegantes Flugzeug, eine »SWIFT« De Havilland herum, kontrollierte vorschriftsmäßig Fahrgestell, Landeklappen, Höhen- und Seitenruder und alles, was man vor einem Start beachten sollte. Der Tag war nicht gerade zum Heldenzeugen schön, aber für einen Flug entlang der Voralpenkette, mit einer Landung in Bad Reichenhall, reichte der Wetterbericht allemal. Eine Tasse Kaffee und ein Stück Kuchen im Reichenhaller Flugplatzrestaurant, danach Rückflug nach Oberwiesenfeld. Solche Flüge dienten der Aufrechterhaltung der Lizenz. Alle zwei Jahre musste man eine fliegerärztliche Untersuchung bestehen und neben mindestens dreißig Starts und Landungen auf dem Heimatplatz eine bestimmte Anzahl von Flugstunden mit Außenlandungen nachweisen. »Stundensammeln« nannte man das.

Vater und Sohn rollten zum Start. Thomas hatte als Flugbeobachter die Aufgabe, das Fenster der Flugleitung zu beobachten und zu melden, wann das grüne Signallicht den Start frei gab. Los ging's. Dicht über die Produktionshallen von BMW, auf hundert Metern Höhe Zwanzig-Grad-Schleife nach Backbord, dann Kurs Süden, Richtung Alpenkette, teils schneebedeckt. Aus dieser Höhe war sie trotz Dunst gut zu sehen. Als Privatpilot, nach Sichtflugregeln unterwegs, ist man ganz froh, wenn man das Ziel vor Augen hat, also keine umständlichen Bemühungen mit der Navigationskarte auf dem Schoß.

Thomas war jetzt für die Beobachtung des Luftraumes verantwortlich. Damals flog man ziemlich frei in der Gegend herum, hatte lediglich Abflugzeit, Zielort und vermutliche Ankunftszeit anzugeben, für den Fall, dass ...

Nichts Übles ahnend freuten wir uns über die Schönheit der Alpenkette. Plötzlich wurde Thommys Blick starr, die Augen weit geöffnet, sein Zeigefinger deutete nach vorn, und schon geriet unsere kleine »Swift« für ein paar Sekunden außer Kontrolle. Einen Augenblick lang wirbelten uns die heftigen Turbulenzen des Strahltriebwerkes eines Starfighters durcheinander. Mit an die 900 Stundenkilometer donnerte der in geringem Abstand an uns vorbei. Schon im Endanflug auf den Platz Reichenhall, mit reduzierter Drehzahl und halb ausgefahrenen Landeklappen, war die »Swift« in einer unstabilen Fluglage. Es war wie im Schnellgang einer Waschmaschine. Geschüttelt und gerüttelt. Was nicht fest verstaut oder in Fächern verschlossen war, flog uns um die Ohren. Dazu kam, dass der Anflug auf die Reichenhaller Landebahn durch einen Baum erschwert wurde, um den man herumkurven musste, bevor man auf die korrekte Landerichtung einschwenken konnte.

Unter normalen Umständen kein Problem, bei Piloten eher eine beliebte Abwechslung in den sonst immer gleichen Landebedingungen.

Wenn ich mich recht erinnere, war die Landung etwas holprig, danach rollten wir auf das Gebäude mit dem großen, weißen »C« zu, Sitz der gestrengen Flugleitung. Dorthin wollte ich, und zwar so schnell wie möglich, um die Leute dort höflich zu fragen, was ein verrückt gewordener Starfighter im Tiefflug im Anflugbereich eines Flugplatzes zu suchen hat!

Motor abstellen, Brandhahn schließen, auch alle anderen Instrumentenwerte auf Null. Normalerweise steigt man jetzt aus. Ich blieb sitzen! Thommy guckte mich fragend von der Seite an. Er hat zwar nie was gesagt, aber ich bin sicher, er hat bemerkt, dass ich am ganzen Leib zitterte wie Espenlaub. Die Flugkarte, noch immer auf meinem Schoß, wollte ich zusammenfalten, es ging nicht. Er übernahm das.

Danach ging alles relativ schnell, aber gänzlich anders als erwartet. Statt meinerseits in der Flugleitung Dampf abzulassen, kam uns von dort schon jemand entgegengelaufen.

»Bevor Sie zu uns reinkommen, verankern Sie Ihre Maschine am Boden, wir haben Sturmwarnung. Es kann jeden Augenblick losgehen!«

Jetzt erst sahen wir, wie rings um uns herum fieberhaft gearbeitet wurde. Tragflächen und Fahrgestelle wurden mit fingerdicken Seilen abgespannt und mit am Boden einbetonierten Ösen verankert. Wenn so ein Föhnsturm unter die Flächen greift, kann er kleinere Flugzeuge leicht vom Boden heben und »aufs Kreuz legen«.

Kaffee und Kuchen waren vergessen, ein am falschen Ort zu tief fliegender Starfighter auch. Jetzt war nur eins wichtig: Bleiben wir da, unbestimmt für wie lang, oder hauen wir sofort wieder ab?

»Der Platz wird gleich gesperrt«, sagte der Mann, »wenn Sie sofort starten, kann ich Ihnen die Erlaubnis noch geben.«

»Danke, wir rollen zum Start!«

Es war wirklich die letzte Minute. Dann brach die Hölle los. Sturm und vorhangdichter Regen aus tief liegenden Wolken brachten die Sichtbedingungen auf beinahe Null. Da blieb nur eins: So tief wie möglich, immer in Sichtweite der Autobahn Salzburg – München nach, bis die roten Warnlichter der Funktürme in Holzkirchen auftauchten. Von da ab wusste man, mit welchem Kurs man heimkommen würde, heim nach Oberwiesenfeld.

Schon vor der Landung war ich zu einem Entschluss gekommen: Sollten wir Oberwiesenfeld heil erreichen, würde ich ohne Zögern in der Flugleitung meine Lizenz auf den Tisch legen. Mann, das wird nicht leicht! Ich war stolz auf meine Lizenz mit der Nummer 213, eine der ersten Lizenzen für motorgetriebene Luftfahrzeuge nach dem Krieg in Bayern.

Das Gefühl, wenn man schemenhaft den Heimatflugplatz in der Ferne auftauchen sieht, nachdem man eine Stunde, fast im Blindflug und in Bodennähe, hoffte, keine Überland-Hochspannungsleitung zu erwischen oder sonst ein in die Höhe ragendes Hindernis – dieses Gefühl ist kaum zu beschreiben. Endlich wieder festen Boden unter den Füßen! Und dann die spürbare Erleichterung der Flugleitung: »Wir wussten von der Schlechtwettermeldung und Sturmwarnung, wussten aber nicht, wo ihr seid. Wir haben in Reichenhall angerufen. Die haben gesagt, ihr seid sofort wieder weg!«

Ich glaube, ich habe ziemlich kleinlaut meine Lizenz auf den Tisch gelegt: »Das war's! Heute sind wir zweimal heil davongekommen – das reicht!«

»Über den Wolken muss die Freiheit wohl grenzenlos sein. Alle Ängste, alle Sorgen ..., denkt man, werden nichtig und klein ...« – so Liedermacher und Pilot Reinhard Mey.

Und weil das so ist, war der freiwillige Verzicht auf meinen mühsam erworbenen Flugschein hart.

Wie hatte der Traum vom Fliegen begonnen? Es war im Jahr 1950, in der Münchner Dienerstraße, zwischen Feldherrnhalle und Marienplatz. Noch enger, als sie eh schon war, machte sie die alte Straßenbahn. An jeder Haltestelle stockte der Verkehr. Ich stand mit meinem Wagen in der Schlange hinter der Tram. Gelangweilt ging mein Blick nach oben, durch die sich verengenden Fassaden der teilweise zerstörten großbürgerlichen Geschäftshäuser, direkt in den weiß-blauen bayerischen Himmel. In diesem schmalen Spalt zog ein Segelflugzeug seine Kreise.

Wo der wohl herkommt, dachte ich, und wo wird der landen? Vielleicht in München-Riem?

Eine halbe Stunde später fragte ich einen Kellner im Flughafenrestaurant, ob er von einem Segelflugzeug wüsste.

»Das ist der Ernst Jachtmann, mit seiner ›Kranich II‹, der ›Scandinavia‹, die gehört einem Pilotenverein von der Pan Am. Der fliegt die Pan-Am-Kapitäne durch die Gegend, wenn sie hier Station machen. Wenn Sie warten, können Sie mit ihm reden, der kommt jeden Mittag hier zum Essen!«

Ein Mann, gertenschlank, stahlblaue Augen, gewaltige Hakennase, Lippen wie ein Strich, blond, wortkarg. Während er seine Suppe löffelt, erkläre ich ihm, warum ich da bin.

»Wenn Sie Lust haben, nehme ich Sie als Passagier mit, Unkostenbeitrag 7 Mark. Mit der Winde hoch, eine Runde um den Platz, dauert ungefähr fünf Minuten.«

»Wann?«

»Wenn ich mit dem Essen fertig bin.«

»Ist das Ihr Ernst?«

»Wollen Sie?«

»Und ob!«

Wenig später sitze ich angeschnallt in der zweisitzigen »KRANICH II« und spüre den Druck, als uns die Seilwinde mit etwa 110 Stundenkilometern steil nach oben reißt.

Ausklinken, schweben, Stille. Nur der Fahrtwind rauscht durch die kreisrunde Öffnung an der Seite der Glaskabine. Höhe knappe dreihundert Meter. Kurve links, noch eine Kurve links, parallel zur Startrichtung. Vorbei am Tower, Kurve links, noch eine Kurve links, in die Landerichtung, Sinkflug, die Graslandepiste kommt näher, Klappen raus, wirkt wie eine Bremse, noch ungefähr fünfzig Meter dicht über dem Boden, sanfte Landung mit Gerumpel, immer langsamer, die »KRANICH II« legt sich auf die linke Seite, berührt das Gras, bleibt stehen. Stille! Lange Stille.

»Geht das noch mal?«

»Wenn Sie zahlen!«

An diesem Nachmittag drehten wir noch sechsmal die Runde.

»Das heißt bei mir ›Käses Rundfahrt‹«, sagte Jachtmann, sonst sagte er kaum was.

»Kann ich das bei Ihnen lernen?«

»Offiziell nein, inoffiziell ja!«

»Was muss ich tun?«

»Rauskommen, sooft Sie können, und sagen, Sie seien Dauerpassagier!«

»Und dann?«

»Wenn wir Thermik haben, bleiben wir länger oben, nach und nach bringe ich Ihnen bei, wie man den Vogel steuert! Sie dürfen's nur keinem erzählen!«

So lernte ich bei dem Weltrekordler Ernst Jachtmann Segelfliegen, zu einer Zeit, als solche Vergnü-
gungen laut alliierter Besatzungsgesetze noch streng
verboten waren.

Mit den erworbenen Kenntnissen ging ich nach
Österreich und bestand in der Segelfliegerschule Zell
am See, am Fuße des Großglockners, meinen »L1«,
die erste Stufe des Segelflugscheins.

Am 5. Mai 1955, Tag der Wiedergewinnung der
Souveränität Deutschlands, meldete ich mich in der
Motorfliegerschule »BAYERNADLER« an und machte
dort meine Privatpilotenlizenz mit der Nummer 213.

Die lag jetzt auf dem Tisch der Flugleitung Oberwiesenfeld, und zwei traurige Figuren wussten: Das
ist der Abschied von meiner geliebten Fliegerei. Der
erste Jugendtraum war zu Ende.

Der Kalender neben dem PC zeigt den 17. Januar,
im Krisenjahr 2010. Die Programmplaner mehrerer
Fernsehsender haben wieder mal die alten Edgar-Wal-
lace-Filme ins Programm gesetzt, teilweise zwei hintereinander an einem Abend. Zur besten Sendezeit um
20.15 Uhr. Man sagt, dass kaum eine andere Filmserie
so oft wiederholt wurde wie unsere fünfzig Jahre alten
Kinohits »Der Frosch mit der Maske« – »Die Bande
des Schreckens« – »Das Gasthaus an der Themse« –

»Die toten Augen von London« – »Der schwarze Abt«
– »Der Mönch mit der Peitsche« – »Der Hexer« –,
um nur einige von insgesamt einunddreißig Constan-
tin-Produktionen der Rialto-Film zu nennen.

Immer noch, nach über fünfzig Jahren, finden die
alten Filme ein begeistertes Publikum. Sie sind zum
Kult geworden.

»Warum machen Sie heute nicht mehr solche
Filme?«

»Weil ich inzwischen dreiundachtzig bin, und
nicht mehr fünfunddreißig!«

Es ist schon außergewöhnlich, dass eine Filmserie
aus den Sechziger- und Siebzigerjahren des letzten
Jahrhunderts für Zuschauer, ob jung oder alt, bis heute
nichts an Spannung verloren hat. Im Gegenteil, viele
finden die Wallace-Filme besser als heutige Produktionen. Woran liegt das? Ich glaube, es war nicht nur
die andere Einstellung zu Qualität, gut genug war kein
Kriterium, es gab nur gut oder nicht gut. Es war, denke
ich, auch die Kombination jung mit alt. Mit alt meine ich die alten UFA-Stars, die Produzent Wendlandt
für jeden seiner Filme engagierte. Er hatte die bessere
Vorstellung von »gut genug«, er meinte immer: »Für
meine Filme ist das Beste gerade gut genug!«

Eine Elisabeth Flickenschildt, eine Lil Dagover, eine
Marianne Hoppe, ein Fritz Rasp, ein Rudolf Fernau,

ein René Deltgen, um nur einige zu nennen. Ich erinnere mich, wie wir jungen Schauspieler andächtig in der Dekoration saßen und den alten Mimen fasziniert zuschauten, wie sie ihre Rollen anlegten, mit welchen darstellerischen Mitteln sie umsetzten, was das Drehbuch vorschrieb. Damals ließen sich Produzenten und Regisseure mehr Zeit. Heute stehen sie oft unter dem Druck, ein vorher bestimmtes Pensum pro Tag als schnittfertiges Material abzuliefern.

Vorschläge von so genannten »schwierigen Schauspielern« werden einfach abgetan. Begründung: »So ist es genehmigt und finanziert – in zwei Wochen fangen wir an zu drehen!«

Vieles, was heute über die Bildschirme flimmert oder im Kino läuft, scheint für das heutige Publikum »gut genug« zu sein! Wer bestimmt eigentlich die Qualität einer Produktion? Wer hat das Sagen? Die Redakteure einer Sendeanstalt? Die Kreativen aus der mächtigen Werbeindustrie? Irgendwelche Entscheidungsträger, die oft aus anderen Berufen kommen und von Entertainment nicht viel oder gar keine Ahnung haben?

Auf meinem Schreibtisch liegt ein ungewöhnlich gutes Drehbuch für einen Fernsehfilm. Titel: »Live is Life« – nach dem Welthit von OPUS.

Die Geschichte eines straffällig gewordenen jungen Musikers, gespielt von Jan Josef Liefers. Ein Gericht verdonnert ihn zu Pflegediensten in einem Altersheim. Im erzwungenen Miteinander bauen sich die Vorurteile der Generationen gegeneinander langsam ab. Je länger sie Gelegenheit haben, sich kennen zu lernen, miteinander umzugehen, desto mehr Verständnis finden sie füreinander.

Die Arbeit vor der Kamera war herzerfrischend. Die Alten, vornehmlich Damen und Herren aus dem Ensemble des Wiener Burgtheaters. Eine Pracht an Schauspielerei. Neben dem neuen deutschen Filmstar, Jan Josef Liefers, soll ich eine der Hauptrollen übernehmen, einen etwas aufmüpfigen alten Mann, der sich gegen die Regeln des Altenheimes auflehnt. Eine Rolle, wie ich sie mir schon lange gewünscht habe.

Kurz vor Weihnachten 2008 werden die Dreharbeiten beendet. Allseits helle Begeisterung bei der Abnahme.

Wann »Live is Life« gesendet wird, steht noch nicht fest, man sucht den bestmöglichen Termin, findet aber keinen. Auf Anfrage bei DOR-Film in Wien bekomme ich die seltsame Auskunft: »Wir mussten nachdrehen, einige Musiken ändern, und außerdem hat die ARD dem Film einen anderen Titel gegeben!

In Österreich und im Rest der Welt wird er unter dem Titel »Live is Life« gesendet – am selben Tag, zur selben Zeit in Deutschland aber mit dem Titel »Die Spätzünder«!

»Wie bitte? Das kann doch wohl nicht wahr sein!?«

»Doch, leider.«

»Und warum?«

»Angeblich, weil im ARD-Programm keine englischen Titel vorkommen sollen.«

»Live is Life ist ein Welthit, den jeder kennt!«

»Deswegen bleiben wir in Österreich beim Originaltitel!«

Da war nun aus einem guten Buch ein guter Film geworden, der zeitgleich in zwei deutschsprachigen Ländern gesendet werden sollte, mit zwei verschiedenen Titeln? Wer kam auf so eine Idee? Noch dazu ein Titel, der dem Inhalt des Films diametral entgegenstand und trotzdem völlig falsche Erwartungen weckte.

Warum sollen Altersheimbewohner »Spätzünder« sein? Mit diesem Titel werden die Alten schon wieder diskriminiert. Spätzünder sind Langsambegreifer, Leute, die auf der Leitung stehen, die nur schwer kapieren. Das sind Spätzünder. Die Alten sind Menschen, die ein Lebenswerk hinter sich haben und auf ihre Weise den letzten, ruhigeren Lebensabschnitt so weit wie möglich in Würde verbringen wollen. Deswegen sind sie doch keine Spätzünder! Die Erfinder des unglücklichen Titels sind sicher sehr jung?

Klar waren die Dreharbeiten anstrengend, Nachtaufnahmen in Eiseskälte sind kein Zuckerschlecken – für alte Mimen schon gar nicht. Bibiana Zeller und ich versuchten, uns mit einem »Flirt in allen Ehren« warm zu halten. Das war herzerfrischend, trotzdem verließen mich die Kräfte, und ich musste in einem Wiener Spital mit ein paar Spritzen und einer Infusion wieder aufgemöbelt werden.

Die jungen Kollegen haben das alles sehr viel leichter durchgestanden, aber wir Alten haben mitgehalten und bewiesen, dass wir noch Stehvermögen haben. Bei mir lassen Steh- und Gehvermögen rapide nach, das ist nun mal nicht zu ändern. Und mit Jan Josef Liefers verbindet mich eine neue Freundschaft. Aber das Hirn arbeitet noch einwandfrei, denke und hoffe ich wenigstens.

Ob das vor zehn Jahren auch der Fall war, wurde damals heftig bezweifelt. Eine Einladung von BMW-Australien zum ersten Rennen der Formel 1, nach dem Wechsel von Adelaide nach Melbourne.

Seit meiner Kindheit bin ich ein Formel-1-Fan. Ich

war ein Dreikäsehoch mit sieben Jahren, als mein Vater mich 1934 mitnahm zum Nürburgring. Ich glaube, das war der erste Auftritt der berühmten Mercedes »Silberpfeile«. Der Name »Silberpfeil« war eine aus der Not geborene Tugend. Das Reglement schrieb ein bestimmtes Gewicht vor, das die weiß lackierten Mercedes-Rennwagen nur wenig überschritten. Ein findiger Kopf kam auf die Idee, ganz einfach die Farbe von der Metallkarosserie abzukratzen. Voilà! Der Bolide war jetzt zwar nackt, glänzte silbrig und hatte vor allem das vorgeschriebene Gewicht. Sie nannten das Geschoss auf vier Rädern »Silberpfeil«.

Die Pistenhelden von damals hießen Rudolf Caracciola, sein Konkurrent auf dem mit Heckmotor ausgestatteten Auto-Union-Modell war Bernd Rosemeyer. Die anderen »Helden am Volant« waren Tazio Nuvolari, Hans Lang, Manfred von Brauchitsch, um nur einige von denen zu nennen, für die ich mich damals begeisterte.

Kann schon sein, dass ich Rennfahrer werden wollte. Auf jeden Fall hatte mein Vater Verständnis für meine Schwärmerei und nahm mich überallhin mit, wo er sportlich oder organisatorisch etwas zu sagen hatte. So lernte ich Tag- und Nacht-Orientierungsfahrten, Schnitzeljagden, Ballon- oder Zeppelin-Verfolgungsfahrten kennen und lieben. Höhepunkte waren natürlich die Formel-1-Rennen auf dem Nürburgring oder gar die Weltrekordversuche der beiden Konkurrenten Mercedes-Benz und Auto Union, bei denen Bernd Rosemeyer 1938 tödlich verunglückte.

Die Rennsaison 1997 wurde in Melbourne, im australischen Bundesstaat Victoria, wie immer im März eröffnet, und zwar ziemlich genau an meinem siebzigsten Geburtstag. Zu diesem »Runden« hatte ich mir gewünscht, beim ersten Formel-1-Rennen dabei zu sein.

Melbourne bietet rund um den Rennzirkus eine besondere Atmosphäre. Die Rennstrecke rund um den idyllischen See im Albertpark, mitten in der Stadt, war von Anfang an Streitobjekt der »Melbournites«. Die Anlage ist einfach wunderschön, aber gerade deswegen kämpfte jedes Jahr ungefähr die Hälfte der Bevölkerung gegen den Trubel und den ohrenbetäubenden Radau während der Vorbereitungen, der Trainings- und der Renntage.

Schon beim Training packte mich wieder das Formel-1-Fieber. Der Freitagabend vor dem Rennen ist der gesellschaftliche Höhepunkt. Das Büro des Premiers, den ich kurz vorher für unsere »Terra Australis«-Serie interviewt hatte, hatte uns die Einladung besorgt. Während des Abends traf ich auf der Terrasse Norbert Haug, den mächtigen Boss des McLaren-Mercedes-Teams.

»Interessieren Sie sich für unseren Sport?«

»Ich kenne noch die alten Fahrer, vor dem Krieg. Caracciola, Rosemeyer, Lang, Seaman, Nuvolari, von Brauchitsch ... und Ihren Vorgänger Neugebauer ...!«

Das schien ihm zu imponieren.

»Die Melbourne-Formel-1 ist das Geburtstagsgeschenk meiner Familie.«

»Dann müssen wir ja was drauflegen. Hier haben Sie meine Handynummer, rufen Sie mich morgen früh um 10.00 Uhr an, ich werde was organisieren.«

Die Handynummer von Norbert Haug war ein Ritterschlag. Er öffnete die Sperren zum Fahrerlager. Ich traf Michael Schumacher in seiner Box, wurde von ihm zu Spaghetti mit Tomatensoße eingeladen. David Coulthard kam vorbei und fand Gefallen an meinem original Akubra-Hut. Er meinte, so was stünde ihm auch. Das Angebot, meinen Sonnendeckel als Geschenk anzunehmen, lehnte er bescheiden ab.

Alle Formel-1-Rennen verfolge ich am Bildschirm. Da gibt es keine andere Verabredung. Vier Wochen nach Melbourne saß ich also vor der Glotze und verfolgte das Training auf der Rennstrecke von Estoril. Großer Preis von Portugal.

Plötzlich kam Norbert Haug ins Bild, in einem Interview für das deutsche Fernsehen. Sofort dachte ich an den Tag in Melbourne. Hatte er mir nicht seine streng geheime Handynummer gegeben? Dann juckte mich das Fell. Mal sehen, ob er die Nummer noch hat und ob er sein Handy immer noch in der linken Hosentasche trägt?

Ich wählte. Es dauerte etwas. Dann sah ich auf meinem Bildschirm in München, wie Norbert Haug in Estoril etwas irritiert sein Handy aus der linken Hosentasche zog: »Haug ...«

»Guten Tag, Norbert, hier ist Blacky, ich finde das Interview, das Sie gerade geben, außerordentlich interessant!«

Ich bin sicher, dass er mich in diesem Augenblick dorthin wünschte, wo der Pfeffer wächst. Aber er machte gute Miene zum bösen Spiel. »Das hat bisher noch keiner mit mir gemacht.« Ich bin sicher, dass er nach diesem Anruf seine Nummer geändert hat.

Das Rennen in Melbourne hatte aufregende Folgen. Eines Tages erhielt ich einen Brief mit dem Logo der Formel 1. Er kam von BMW-Australien.

»Sehr geehrter Herr Fuchsberger, wir erinnern uns gerne an Ihren Besuch beim Formel-1-Rennen in Melbourne im vergangenen Jahr.

In diesem Jahr wird BMW das alljährliche ›Celebrity Race‹, das Prominentenrennen, sponsern. Einundzwanzig ›BMW Model Z3‹ werden renngerecht hergerichtet und einer Auswahl von Fahrerinnen und Fahrern zur Verfügung gestellt. Wir würden uns freuen, wenn wir Sie als einen der Piloten gewinnen könnten.«

Träumte ich? Hatten die vergessen, wie alt ich war? Die hielten mich also immer noch für so fit, dass ich einige Runden auf einer Formel-1-Rennstrecke durchhalte. Also siegte die Eitelkeit, ich sagte zu.

Die Sache hatte nur einen Haken. Jeder Teilnehmer musste in einem speziellen Kurs eine temporäre Rennlizenz erwerben. Ferner verlangte das Organisationskomitee ein Attest eines von ihnen benannten Arztes. Die Unterlagen dazu waren beängstigend.

Der tasmanische Doktor nahm die Brille ab, sah mir in die Augen.

»Wollen Sie das im Ernst machen?«

»Ja!«

»Sie sind zweiundsiebzig!«

»Ich weiß!«

»Ich kann Ihnen das wohl nicht ausreden?«

»Nein!«

»Vom rein Medizinischen sind Sie fit!«

»Aber?«

»Kein aber. Ich halte es für Unsinn!«

»Kann ich die Unterlagen mitnehmen?«

»Nein! Die Vorschrift lautet, dass der untersuchende Arzt die Ergebnisse direkt an das O.K. schickt!«

»Bitte tun Sie das bald!«

»Natürlich! Good luck!«

Ich fühlte mich sauwohl. Verdammt und zugenäht! Ich alter Sack werde an einem Sportwagenrennen teilnehmen. Auf einer der schönsten Formel-1-Strecken der Welt.

Natürlich hatte auch Gundel ihre Bedenken, aber gezeigt hat sie das nicht. Sie wollte mir den Spaß nicht verderben. »Autofahren kannst du«, sagte sie, um dann eine typisch weibliche Ermahnung draufzusetzen: »... du musst halt recht vorsichtig fahren!«

Anfang März 1999 war es so weit. Auf einer außerhalb Melbournes gelegenen Rennstrecke wurden wir eine Woche lang nach allen Regeln der Kunst um die Kurven gejagt. Jeder Teilnehmer hatte einen »Instructor«, der seinem Lehrling die Tricks und Tücken beibringen sollte, mit denen man ein vierrädriges Geschoss um die Ecken bringt. Wie man Kurven ansetzt, wie man die Ideallinie findet, wie man mit Über- und Untersteuerung umgeht, wie man die Karre wieder in die Spur bringt etc.

Zugegeben, die Einführung in das zwanzigköpfige Fahrerteam wurde etwas peinlich. Zur Vorstellung gehörten Name, Beruf und Alter. Unterstützend wurden die frisch erhaltenen Rennlizenzen auf eine Leinwand projiziert. Beim Namen gab es schon verstecktes Gelächter, weil die englische Aussprache des Namens Fuchsberger ein beliebtes »four letter word« assoziiert. Beim Alter wurde das Gelächter schon deutlicher. Da kommt so ein alter Sack aus Deutschland, völlig unbekannt, und will hier Rennen fahren? Wer hat den denn aufgetrieben?

Dagegen musste ich etwas tun. Vielleicht würde »name dropping« helfen? Und es half. Nachdem ich meine alten Formel-1-Namen in die Runde geworfen hatte, war allseits Staunen angesagt. Ergebnis meiner Angeberei: Der alte Sack aus Europa wurde als Senior der Truppe zu deren Sprecher gewählt.

»Briefing« vor dem Rennen. Die Piloten werden mit den Regularien bekannt gemacht. Klar, was man von uns erwartete. Sportliches Verhalten, keine erzwungenen Karambolagen, die teuren Vehikel heil ins Ziel bringen.

Die Einfahrt in die Aufstellung auf dem »grip« war schon das erste Gänsehauterlebnis. Um die einhundertzwanzigtausend Fahnen schwenkende und mit Tröten bewaffnete Formel-1-Fans warteten auf »Die Großen der Piste«. Die Gelegenheitsgladiatoren wurden empfangen. Lautsprecher verkündeten die Namen der Prominenten und die Nummern ihrer Fahrzeuge. Ich war nicht dabei.

Und dann wurden die Hundertzwanzigtausend aufgefordert, sich von ihren Plätzen zu erheben, um der deutschen Nationalhymne zu lauschen. Wieso? Weil die zwanzig Auserwählten ein deutsches Erzeugnis um die Kurven bugsierten, weil BMW in diesem Jahr der Sponsor des Prominentenrennens war.

Ich bin, wenn überhaupt, gemäßigter Patriot, und das auch noch zweigeteilt. Zwar »Made in Germany«, aber mit der zweiten Heimat Australien. Die Familie fühlt sich in Australien wie zu Hause, aber »daheim« sind wir in Deutschland.

Als »Einigkeit und Recht und Freiheit ...« durch die Ohrenstöpsel drang, lief es mir kalt über den Rücken, obwohl es so heiß war, dass wohl allen der Schweiß unter den Helmen herunterlief.

Und dann ging's los! Der Adrenalinspiegel stieg mit den nacheinander aufleuchtenden Lichtern der Startmaschine. Die Motoren heulten in der maximalen Drehzahl, die Knie fingen an zu zittern. Zuerst leicht, dann immer stärker, bis das letzte Rotlicht über der Bahn erlosch und die röhrende Kolonne losschoss, eine nach Rizinus-Rennöl stinkende, weiß-bläuliche Wolke am Start hinterlassend. Nach den ersten Metern war der Knieschnackler wie weggeblasen.

Bei zwanzig Teilnehmern hatte ich es bis zur Startposition siebzehn gebracht. Zu mehr hatte es im Training nicht gereicht.

Vielleicht könnte ich vor der ersten Kurve noch eine oder zwei Positionen gutmachen? Tatsächlich schaffte ich zwei. Vermutlich, weil Gundel mit klopfendem Herzen auf der BMW-Ehrentribüne saß, gleich nach der ersten Kurve, und da wollte ich mich doch nicht lumpen lassen – oder?

Auf der anschließenden langen Geraden geschah das Unvermeidliche. Die zwei beim Start Überholten zogen an mir vorbei, es waren zwei Teilnehmerinnen. Eine war mir unbekannt und daher ziemlich egal. Aber die andere Amazone war keine Geringere als die bekannte Popsängerin Natalie Imbruglia. Besonders attraktiv und besonders schnell, aber das hätte sie ja nicht unbedingt gerade jetzt beweisen müssen ...

Da zog sie davon, und ich versuchte vergeblich hinterherzukommen. Dass sie aus der nächsten Kurve flog, in der Reifenmauer landete und das Rennen vorzeitig beenden musste, tat mir leid, verschaffte mir aber eine gewisse Genugtuung.

Aber mein Ego war bereits empfindlich gestört und wurde auch durch den erfolgreichen Abschluss der fahrerischen Auseinandersetzung mit dem berühmten Maler Ken Done nicht sonderlich aufgerichtet, obwohl der immerhin gute fünfzehn Jahre jünger war.

Fazit meiner späten rennfahrerischen Ambitionen: »Wenn's dem Esel zu wohl wird, geht er aufs Eis ...«

Zwar hab ich mir keine Knochen gebrochen, aber die wichtige Erkenntnis gewonnen, dass man mit »70+«, wenn auch noch nicht in einen Rollstuhl, so doch eher in einen bequemen Sessel gehört als hinter das Steuer eines getunten Sportwagens.

Das hat's früher nicht gegeben ...?

Da haben wir's! Das Problem Altwerden scheint damit zusammenzuhängen, dass das Leben in unserer Zeit zu einem permanenten Rennen geworden ist. Die Angst, überholt zu werden, treibt uns vorwärts, zwingt uns zu ständiger Höchstleistung, ganz egal wo, im Beruf, im Sport, im Auto, wenn du eins hast, in der Liebe, wenn du noch kannst. Höchstleistungen, vor denen du zunehmend Angst bekommst, ob du das alles noch schaffen kannst.

Diese Angst beginnt dich zu lähmen, bewirkt Versagen. Die Angst, dein Kollege könnte besser sein als du, deine Sportkameraden rennen schneller, springen höher oder weiter, und deine Frau oder Freundin oder Lebensgefährtin, also einfach die bessere Hälfte, vor der du ohnehin Angst hast, hat neuerdings so was Merkwürdiges in den Augen, wenn sie sich nach einem wortlosen Fernsehabend mit einem hintergründigen »... na dann gute Nacht!« verabschiedet und dir demonstrativ den Rücken zukehrt.

Die ersten Anzeichen für deine nachlassende Strahlkraft. Diesem Problem wird auf vielfältige Weise begegnet, oft mit völlig unzulänglichen Mitteln. Zum Beispiel mit dem Versuch der Veränderung deiner Persönlichkeit. Du bist nun mal, wie du bist. Dich selbst umzudrehen wie einen alten Handschuh macht aus dir keinen anderen Menschen, nein, eher einen bedauernswerten Clown. Auch grelle Farben in deinem Outfit sind kein passendes Mittel, schon gar keine rosaroten, bis zum Nabel offene Hemden und breite Goldketten auf grauem Brusthaar. Sie sind nicht attraktiv, zeugen eher von Dummheit oder einfach schlechtem Geschmack. Lange, bis auf die Schultern reichende oder zum Zopf gebundene, leicht angegraute Haare erwecken keineswegs den Eindruck jugendlicher Dynamik, eher den provozierender Ungepflegtheit.

Vor längerer Zeit begegnete ich in einem Hotel in Sydney ein paar Angehörigen der Uralt-Rockgruppe »AC/DC«. Deren »Parteiabzeichen« schien eben diese Ungepflegtheit zu sein, mit der sie wohl signalisieren wollen: »Wir sind anders, wir sind besser, wir sind unangepasst, wir sind jung«!

Aber das Gegenteil ist der Fall: Sie haben sich angepasst. An vergangene Zeiten, an die sie sich verzweifelt klammern. Sie können schlicht und einfach nicht alt werden, oder besser gesagt, sie können nicht schlicht und einfach alt werden!

Oder schau dir eine dieser unerträglichen Fernseh-Volksmusiksendungen an, in denen dickwanstige Alt-Schnulzenträllerer in engen weißen Anzügen mit arthritisch wackelnden Hüften blödsinnige Texte zu einfachsten Melodien absondern, und das vor gemalter Alpenkulisse. Ich drehe ab, bevor mir schlecht wird.

Da wir gerade beim Fernsehen sind: Ich schreibe diese Zeilen an meinem 83. Geburtstag, was nicht sonderlich erwähnenswert wäre, aber vor wenigen Tagen lief der erwähnte Film »Die Spätzünder«, eine Gemeinschaftsproduktion von ARD und ORF.

Die Geschichte ist einfach: Ein Altersheim wird rebellisch, die Alten lassen sich die Bevormundung nicht länger gefallen. Ein zu Pflegediensten verurteilter Musiker bringt wieder Leben in die Bude, zur Verzweiflung der Anstaltsleitung. Mit List und Tücke gründen die Alten eine Rockband und gewinnen einen Musikwettbewerb. Happy End!

Der Film schlug ein wie eine Bombe, brach alle Einschaltrekorde in der ARD. Die Geschichte war wohl ein Stich in ein Wespennest, muss den Nerv getroffen haben. Nicht nur die Alten waren über die Art der Darstellung ihrer Probleme begeistert, auch die Anzahl zustimmender junger Zuschauer war außergewöhnlich hoch.

Es scheint also doch ein Verständnis der Generationen füreinander zu geben.

Warum also die zunehmenden Grausamkeiten? Warum treten junge Burschen einen Mann tot, der Kindern helfen wollte?

Warum foltern dreizehnjährige Jungen eine alte Frau bis aufs Blut?

Warum halten Väter ihre eigenen Töchter jahrelang als Geiseln, vergewaltigen und schwängern sie?

Warum missbrauchen Priester die ihnen in Klosterschulen anvertrauten Kinder?

Warum laufen junge Menschen Amok und töten wahllos, was ihnen vor die Flinte ihrer Väter kommt?

Warum quälen Bundeswehrausbilder die ihnen zur Ausbildung anvertrauten Rekruten?

Warum werfen Bundesbahnangestellte Kinder oder hilflose alte Menschen aus dem Zug und überlassen sie ihrem Schicksal?

Diese Fragen werden wegen zunehmender Aktualität heiß diskutiert. Die Meinungen driften ebenso drastisch auseinander, wie die Generationen es zu tun scheinen. Wo liegen die Ursachen für diese beängstigende Entwicklung in unserer Gesellschaft?

Sind es die Medien – ich weiß, wovon ich rede –, die in ihren Fernsehprogrammen immer öfter und immer brutaler die irrige Meinung provozieren, mit Gewalt seien Probleme jeglicher Art am einfachsten zu lösen?

Sind es Politiker, die trotz beklagter Finanznot in ihrer ungebrochenen Ausgabenfreudigkeit gern und immer öfter den Generationenkonflikt als Ausrede für ihre Unzulänglichkeit und unlauteren Wahlversprechen hernehmen?

Ist es der allgemeine Verlust an Respekt vor meist

nur noch angemaßter Autorität oder bereits verzweifelte, wenn auch falsch verstandene Notwehr so vieler, die sich von der Gesellschaft, der Politik, der Familie, vom Leben betrogen fühlen?

Wo ist uns eigentlich das Verständnis füreinander abhandengekommen? Die ganz einfache Logik, dass nur Miteinander funktioniert, ständiges Gegeneinander aber ins Chaos führt. Was hat uns zur Neidgesellschaft gemacht? Ist es der olympische Gedanke: »Schneller, höher, weiter!«, der zum unlösbaren Drogenproblem führte?

Ist es das Wirtschaftswunderland Deutschland, dessen Fetisch »Ständiges Wachstum« nicht mehr so recht funktioniert?

Ist es einfach nur, dass wir alle jegliches Maß verloren haben, in unseren eigenen Ansprüchen gefangen und unbeweglich sind?

Müssen wir wieder lernen, dass kein Mensch Anspruch auf irgendetwas hat, wofür er nicht bereit ist, seinen eigenen Beitrag zu leisten?

Ich bin kein Politiker, nur einer von vielen alten Männern, die Zeit haben, sich Gedanken zu machen. Nicht mehr um die eigene Karriere, die ist gemacht, oder auch nicht. Aber um die Frage, ob unsere Gesellschaft wirklich so aus den Fugen geraten ist, wie man den Eindruck bekommt, wenn man nicht schon total zurückgezogen vor dem Fernseher sitzt, mit der Einstellung: Das geht mich alles nichts mehr an! »Wir alten Männer sind gefährlich, weil wir keine Angst mehr vor der Zukunft haben!« Sagte Peter Ustinov. Das allein schon rechtfertigt seinen Adelstitel. Der Spruch geht aber noch weiter: »Wir können endlich sagen, was wir denken, wer will uns denn dafür bestrafen?«

Genau! Nur tun wir das auch? Sagen wir Alten, was wir denken, oder sind wir weiter bereit, um des lieben Friedens willen zu kuschen?

Wir haben das Leben noch nicht hinter uns. Wir haben ein Recht auf Ruhe, Frieden und Ordnung. Aber wie denn, wenn wir Gefahr laufen, krankenhausreif geschlagen oder totgetreten zu werden, wenn wir uns gegen Dinge wehren, die unserer Erziehung, unserer Lebenserfahrung und unserer Moral diametral entgegenstehen?

Moral! Ist das das Reizwort, an dem sich die Geister und die Generationen scheiden?

»Das hat es früher nicht gegeben!« Wenn ich diesen Satz höre, zucke ich zusammen. Meine Eltern haben ihn gebraucht, wenn ihnen etwas gegen den Strich ging, und deren Eltern vermutlich auch.

Also wann früher? Auf die Kaiserzeit kann sich der

Spruch wohl kaum beziehen, deren Zeugen haben das Zeitliche gesegnet. Der Erste Weltkrieg und die Zeit danach sind ebenfalls Geschichte.

Jetzt sind wir dran! Meine Generation erinnert sich jetzt an »die guten, alten Zeiten«. Das fällt nicht immer leicht.

Was hat es früher nicht gegeben? Meine Erfahrung geht eher dahin, dass es nichts gibt, was es noch nicht gegeben hat, außer in Wissenschaft und Technik. Mit dem Satz »Das hat es früher nicht gegeben« ist wohl eher gemeint: »Früher war alles besser!« Stimmt nicht! Früher war nur alles anders. Natürlich!

»Aber die Zeit bleibt nicht stehen«, auch nur ein sattsam bekannter Spruch, mit dem man eigentlich zu erkennen gibt, dass man mit der Zeit nicht Schritt halten kann.

Gibt es heute Parallelen zu früher? Arbeitslosigkeit und die daraus stärker spürbaren sozialen Spannungen?

Die deutliche Abkehr der Menschen in unserem Land von Politik und deren »Machern«? Der für alte Zeitzeugen unverständliche, stets stärker werdende Drall nach rechts?

Wie war das damals, zu der Zeit, als ich anfing, auf meine Umwelt emotional zu reagieren? Das war um 1933 herum, Ende des ersten Drittels des letzten Jahrhunderts. Machtergreifung, Fackelzüge, Fahnenschwenken, Parteitage, Marschkolonnen, und immer mehr Menschen, die nur allzu gern dem Schreihals aus Braunau am Inn glaubten, Millionen Arbeitslose von den Straßen zu holen, sie in Lohn und Brot zurückzuführen, ihnen die durch die Folgen des Ersten Weltkriegs verlorene Ehre zurückzugeben. Nur wenige erkannten, mit welchen Mitteln der »Ver-Führer« und seine Helfershelfer das verlockende Ziel erreichen wollten. Genau zwölf Jahre dauerte es, bis das versprochene Tausendjährige »Dritte Reich« in Schutt und Asche lag, nachdem es unsagbares Leid über die Welt gebracht und sechzig Millionen Tote gefordert hatte.

Nein, es gibt keine Parallele zur Gegenwart. Weiß Gott nicht! Wir haben andere Sorgen. Aus uniformierten, politisch organisierten Schlägertrupps wurden vermummte Banden gewaltbereiter Jugendlicher, die Spaß an der Randale, Vergnügen an der Zerstörung haben. Die den Anschluss an unsere Leistungsgesellschaft verloren haben oder bewusst verweigern. Die die Sprache unserer Gesellschaft nicht mehr verstehen und die Lösung ihrer Probleme in zerstörerischer Gewalt suchen.

Aus den Auseinandersetzungen der Parteien der

Weimarer Republik, die die Machtübernahme durch den Nationalsozialismus vorbereiteten, sind die Auseinandersetzungen der Religionen geworden, die ihre Totalitätsansprüche durch Terrorismus durchzusetzen versuchen, den sie perverserweise »Heiliger Krieg« nennen.

Unsere Sorgen sind Atomwaffen in falschen Händen, der Streit um die Atomenergie, die weltweite Finanzkrise, der nicht enden wollende Nahostkonflikt, die Position der Bundesrepublik im internationalen Waffengeschäft, die Unverständlichkeit wuchernder Bürokratie, Steuerflüchtlinge, korrupte Manager, verantwortungslose Banker und, und, und ...

Diese Liste ließe sich beliebig fortsetzen ...

Sind wir vielleicht alle überfordert und sehen den Wald vor Bäumen nicht mehr?

Vermögen wir die Geister, die wir riefen, nicht mehr zu bannen?

Sind unsere Politiker den Forderungen einer globalisierten Welt intellektuell gewachsen? Oder ist Anpassung an das Parteiprogramm wichtiger als das Wohl der Wähler? Regiert auch hier der Jugendwahn? Kommt jugendliche Dynamik unbesehen vor Erfahrung des Alters?

Ich glaube, eines der großen Probleme liegt darin, dass unsere sprachliche Verständigung versagt. Wir verstehen die eigene Sprache nicht mehr. Amts- und Juristendeutsch wird für Otto Normalverbraucher zunehmend unverständlich, die Computerfachsprache wird nur noch von Freaks verstanden, die Jungen verständigen sich in einem Vokabular, das alten Leuten unbekannt bleibt.

Als einziges Lebewesen verfügt der Mensch über die Sprache, um miteinander zu kommunizieren. In einem babylonischen Durcheinander von Fachsprachen aber droht jegliche Kommunikation unterzugehen. Als Mittel zur Verständigung scheint die Sprache immer unbrauchbarer zu werden.

Statt qualitativ reden wir quantitativ, statt einfach und verständlich zu sagen, was uns freut, was uns ärgert, was uns Angst macht, ziehen wir vor zu quasseln, wir tauschen statt Gedanken lieber Worthülsen aus. Und wo es gar nicht mehr geht, behelfen wir uns mit Piktogrammen.

Bei einer Bundestagsdebatte kann einen nicht selten das schiere Grausen packen. Dieses schwarz-rot-goldene Gezänk ist nicht mehr des Volkes Stimme und wird vom Volk auch nicht mehr verstanden. Ich erinnere mich, wie einer der nationalsozialistischen Protagonisten im Reichstag das Parlament des deutschen Volkes als »Quasselbude« bezeichnete. Manchmal kann ich mich des Eindrucks nicht erwehren, dass unsere Parlamente in Bund und Ländern nicht sonderlich daran interessiert sind, den Respekt der Menschen vor der Institution zu bewahren, die doch ihre Interessen vertritt.

Gedanken eines Zeitzeugen, der drei deutsche Staatsformen erlebt hat und davon überzeugt ist, dass unsere Bundesrepublik Deutschland das Beste ist, was die neuere Geschichte unseres Volkes aufzuweisen hat? Oder Gedanken eines Bürgers, der Angst hat, dass sich Geschichte, entgegen verbreiteter Meinung, doch wiederholen kann?

Oder sind es nur Gedanken eines alten Mannes, Angehöriger einer Generation, die glaubt, alles besser zu wissen, und aus Langeweile gern an der Gegenwart herumnörgelt?

Altwerden ist nichts für Feiglinge

Am 30. Januar 2010 verlieh die Programmzeitschrift HÖRZU den sicher wertvollsten deutschen Medienpreis: die Goldene Kamera. Für die Kategorie »Lebensleistung« hatte sich die Jury für mich entschieden. Im Vorfeld wurde meine Familie befragt, mit wem als Laudator man mir eine besondere Freude bereiten könne. Wunschkandidaten waren Christopher Lee oder Harry Belafonte. Mit beiden verbindet mich eine langjährige Freundschaft. Harry Belafonte schien allen schlicht und einfach zu hoch gegriffen: »Aber wir werden es versuchen!«

Harry war bei der ARD-Talkshow »Heut' abend ...« als internationaler Topstar mein erster Gast. Diese erste Begegnung war der Beginn einer Freundschaft, die bis heute gehalten hat.

Plakate in München verkündeten den Auftritt des Weltstars im Circus Krone. Der Bayerische Rundfunk, als Produzent von »Heut' abend ...«, wollte den Auftritt des Stars in der neuen Talkshow publizistisch maximal vorbereiten und arrangierte ein Treffen zu einem Vorgespräch während einer der Proben im Zirkuszelt am Marsplatz.

Schon vor dem Eingang war die berühmte, heisere Stimme des schwarzen Sängers zu hören. Ich glaube, es war der Song des Bananenverkäufers oder sein damaliger Nr. 1-Hit: »Mathilda«. Zelt und Vorgelände waren hermetisch abgeriegelt, keiner sollte die Proben stören.

Doppelt besetzte »Wach- und Schließleute« prüften den »Backstage«-Ausweis eingehend. Ich durfte ins Allerheiligste. Der erste Eindruck im riesigen, vollkommen leeren Zirkuszelt war überwältigend. Nur die Musiker und ein kleiner Back-up-Chor auf einer Rundbühne in der Manege. Davor der Mann, den ich treffen sollte. Harry Belafonte, fast zwei Meter groß, gertenschlank, mit geschlossenen Augen in sein Lied vertieft, als stelle er sich 2.000 Menschen vor, die er zum Konzert erwartete.

Die Bewegungen sparsam. Kein Gehampele, kein Gezappele, und doch zwangen sie einen sofort und unwiderstehlich, den Rhythmus aufzunehmen. Gefangen von der Atmosphäre, blieb ich im Mittelgang stehen. Jemand zog mich zur Seite. In Zeichensprache machte er mir unmissverständlich klar, dass ich ihm lautlos folgen solle.

In der allerletzten Reihe, direkt unter dem Zeltdach, zeigte er auf eine Bank, wo ich mich bis auf Weiteres aufzuhalten und vor allem nicht zu rühren hätte. Was mir nicht schwerfiel. Die Art, wie Belafonte probte, war faszinierend. Kaum hörbar, wenigstens für mich da oben unterm Dach, gab er Anweisungen an den Chor und die Musiker, bat um Wiederholung einiger Takte und tat das offenbar mit Bemerkungen, die seine Leute zum Lachen brachten.

Irgendwann ließ er seine Augen durch das weite Zirkusrund wandern – und entdeckte mich, ganz klein, da oben in der letzten Reihe.

Er unterbrach die Probe, machte ein paar Schritte nach vorn, an den Manegenrand, schützte seine Augen gegen die gleißenden Spotlights, und dann hörte ich die weltbekannte, heisere Stimme, direkt an mich gerichtet: »Hey – what are you doing up there?« Was sollte ich tun? Sitzen bleiben und durch den menschenleeren Rundbau zurückbrüllen, wer ich bin und was ich vorhatte? Aufstehen und brüllen – oder versuchen, erst einmal näher an den schwarzen Gott da unten ranzukommen?

Ich machte mich auf den Weg nach unten. Harry Belafonte und sein Ensemble warteten geduldig, bis ich endlich den langen Weg nach unten gefunden hatte und vor ihm stand. Freundlich lächelnd sah er mich an.

»Excuse me, Sir«, sagte ich, »I am Blacky Fuchsberger, the host of the new talkshow with Bavarian Broadcast you have agreed to come to.«

Es entging mir nicht, dass alle auf der Bühne bei der Nennung meines Namens Reaktion zeigten. Für einen Moment herrschte absolute Stille. Dann grinste Harry Belafonte: »Say that again. What was your name – was it Blacky?«

»Yes Sir – Blacky is my nickname. Everybody calls me so!«

Er sah mich abschätzend an, dann lachte er laut: »Allright, then I think we Blacks must stick together!«

Allgemeines Gelächter, das Eis war gebrochen. Nach Beendigung der Probe unterhielten wir uns, wie ich mir das Gespräch in der Talkshow vorstellte. Er wollte wissen, welche Fragen ich ihm stellen und wie das mit der Übersetzung gemacht würde.

»Weniger ein Interview«, sagte ich, »vielmehr ein Gespräch zwischen zwei Männern, die sich zum ersten Mal begegnen und prüfen, ob es eine gemeinsame Frequenz gibt.«

Das schien ihm zu gefallen, nur einen Einwand hatte er.

»Please do not ask me about racial conflicts – that would make it too complicated.«

Ich versprach es.

Der Tag der Show war gekommen, Harry Belafontes Auftritt entsprechend hochgeschaukelt. Er war heiter, charmant, keinerlei Starallüren, Szenenapplaus. Es lief wie am Schnürchen.

Plötzlich machte er eine Pause, dachte angestrengt nach, wandte sich von mir ab und nahm das Publikum ins Visier. Mit leiser Stimme begann er zu sprechen. Begann eine Geschichte zu erzählen, die allen im Studio den Atem stocken ließ.

Er gab einen minutiösen Bericht, wie er mit einem größeren Geldbetrag für eine Anti-Rassismus-Organisation mit dem Auto auf einem amerikanischen

Highway unterwegs war. Er hatte erfahren, dass der Ku-Klux-Klan diese Unternehmung gewaltsam stoppen wollte, und er bat seinen Freund Sydney Poitier, ihn auf der Autofahrt zu begleiten. »Zwei Stars gleichzeitig umbringen? Das würden sie wohl nicht wagen.«

An einer Tankstelle ging Belafonte auf die Toilette. Plötzlich hörte er hinter sich ein leises, metallisches Klicken. Eine Stimme sagte: »Wenn du Nigger hier pisst, schieß ich dir 'ne Kugel in den Kopf!«

Er hatte wohl übersehen, dass diese Toilette mit dem Schild versehen war: »Nur für Weiße!«

Atemlose, ungläubige Stille im Studio in Unterföhring. Ich war geschockt. Hatte der Weltstar mich nicht gebeten, genau dieses Thema zu vermeiden? Und jetzt kam er mit so einer Story! Was war in ihn gefahren?

Er ließ sich Zeit mit seinen Erinnerungen, war sichtlich beeindruckt von der Reaktion der Zuschauer. Dann sagte er: »Ich wusste, er würde schießen – aber mein Urin war klug genug, in meinen Körper zurückzufließen!« Es blieb lange still im Studio.

Nach der Sendung, auf der Hinterbühne, packte er mich plötzlich am Arm: »Was zum Teufel hat mich dazu gebracht, diese Geschichte zu erzählen?«

»Ich hab dich nicht gefragt, wie verabredet.«

»Ich weiß. Aber irgendwie hatte ich das Gefühl, ich bin dir und deinem Publikum das schuldig!«

Das war vor dreißig Jahren, seitdem sind wir Freunde.

»Für die Kategorie ›Lebensleistung national‹ – die Goldene Kamera für Joachim ›Blacky‹ Fuchsberger!«, verkündete Hape Kerkeling, der die HÖRZU-Großveranstaltung zum ersten Mal moderierte. Eine Wand öffnete sich, und da stand ich, mit Gehstock und strohtrockener Kehle.

Désirée Nosbusch, die eine äußerst schmeichelhafte Laudatio gehalten hatte, kam auf mich zu, um mich für meine Dankesrede zum Mikrofon zu führen.

Gerade als ich beginnen wollte, unterbrach Hape Kerkeling: »Einen Moment noch! Wir haben eine Überraschung für dich. Ein Freund aus Amerika, den du seit dreißig Jahren kennst. Er hat es sich nicht nehmen lassen, über den Atlantik zu kommen, um dir die Goldene Kamera zu überreichen. Du kannst ihn noch nicht sehen, aber vielleicht schon hören ...?«

Es ertönte der Ruf des Bananenverkäufers: »Day-o ...!« – und mir blieb die Luft weg.

Da kam Harry aus der Dekoration, gemessenen Schrittes, aufrecht, kahlköpfig, lächelnd, mit meiner Goldenen Kamera in der Hand. Langsam kam er auf mich zu, sah wohl meine Erstarrung, nahm mich in

den Arm: »Good to see you again! Congratulations!«
Da standen sich zwei alte Männer gegenüber, ließen ihrer Emotion freien Lauf – und steckten viele
im Saal an, wie an gezückten Taschentüchern zu erkennen war. Zwei Männer, die sich ihres Alters nicht
schämten.

Beide normalerweise am Stock, hatten wir für den
Auftritt auf der Bühne auf unsere Gehhilfen verzich-
tet und hatten unsere Mühe damit.

Bis tief in die Nacht saßen wir anschließend zusammen, verabredeten uns für den kommenden Tag.

Vergeblich versuchte einer den anderen telefo-
nisch zu erreichen. Bis mir mein Fahrer berichtete,
sein bester Freund sei der Fahrer von Harry Belafonte. Er hätte gehört, dass der Belafonte-Tross für
den Abend bei Borchardt einen Tisch bestellt hätte.
Also bestellte ich auch einen.

Als Harry mit seinem Gefolge hereinrauschte, einen Blick in die Runde warf und sah, dass Gundel
und ich schon dasaßen, gab er seinen Stock an der
Garderobe ab und kam gestreckt auf uns zu. Fast wie
in alten Zeiten, weniger federnd vielleicht, aber un-
vermindert imponierend. Alle Blicke folgten ihm.

Der Abend wurde ein Fest der Erinnerungen. An
seinen Besuch vor Jahren, in München, zum Beispiel.

»Ich möchte mal sehen, wie populär du hier bist«, sagte er damals, »lass uns irgendwo hingehen, wo viele Leute sind. Ich lauf hinter dir her und beobachte, wie die Leute auf dich reagieren.«

Wir gingen auf die Auer Dult, am Mariahilfplatz, einen riesigen Flohmarkt, rund um die Mariahilf-kirche. Harry hatte sich verkleidet. Schlägermütze, dicker Schal und dunkle Brille. So schlenderte er mit Gundel von Stand zu Stand, immer mit seinen Augen bei mir, ich war etwa 20 Meter vor den beiden. Was Harry nicht sehen, vor allem nicht hören konnte: Bevor die Menschen auf dem Markt auf mich rea-gierten, ging ich auf sie zu: »Da hinten, der Lange mit Sonnenbrille, Mütze und Schal, das ist Harry Belafonte!«

Nach wenigen Augenblicken war er umringt von begeisterten Fans und hatte alle Hände voll zu tun, Autogramme zu schreiben. »You bastard«, sagte er später nur, »du hast mich ausgetrickst.«

Der Abschied in Berlin kam am nächsten Tag, und er wurde zur Lachnummer. Mit fast gleicher Abflug-zeit von Tegel, Belafonte flog mit seiner Frau nach Pa-ris, Gundel und ich flogen heim nach München. Für die Reise nach Berlin hatten mir die Ärzte den Roll-stuhl verordnet! Zuerst wollte ich nicht. Aber schnell war mir klar, wie viel einfacher das alles macht. Du musst nirgends anstehen und geduldiges Schaf spielen. Du musst keine Treppen steigen, wirst an der Sicherheitskontrolle bevorzugt abgefertigt. Rollstuhl empfiehlt sich sehr.

In dem saß ich nun. Die Betreuung schob mich durch die endlosen Gänge, zum Fahrstuhl, rauf in die VIP-Lounge. Das hatte schon ein bisschen was an sich vom bekannten Spießrutenlaufen. Die Lounge selber liegt diskret verborgen im ersten Stock. Die Türe konnte nur mit Schlüssel geöffnet werden. Man schob mich hinein – und keine zwei Meter vor mir saß Harry Belafonte – im Rollstuhl!

Wir sahen uns an und fingen an zu lachen. Harry sagte etwas, ich verstand es nicht.

»Was hast du gesagt?«, brüllte ich.

Harry lachte immer noch: »Bist du taub?«, brüllte er.

»Ja, fast«, brüllte ich zurück, holte mein Hörgerät aus dem Ohr und hielt es ihm entgegen. Er stutzte einen Moment, griff an sein Ohr und zog sein Hörrohr heraus.

Da saßen wir alten Männer uns im Rollstuhl gegenüber und hielten unsere Hörgeräte in die Höhe und lachten Tränen.

Nach wenigen Minuten kamen die Begleiter, um uns zu unseren Flugzeugen zu bringen. Wir sahen uns lange in die Augen, dachten wohl beide diesen

Augenblick lang darüber nach, ob wir uns im Leben noch mal wiedersehen werden?

»So long – take care – God bless! Und danke für deine Freundschaft.«

Dann schoben sie uns auseinander.

Altwerden ist nichts für Feiglinge!

Ob es dich mit einem harten Schicksalsschlag überrascht, in der Gestalt eines Arztes, der dir mitteilt, dass deine Tage wegen einer heimtückischen Krankheit gezählt sind, oder ob dich das Alter wie ein Moor verschluckt, in dem du langsam aber unaufhaltsam versinkst: Es ist eine Zäsur, eine unabänderliche Tatsache, mit der du dich auseinanderzusetzen hast.

»Der Mensch ist ein Gewohnheitstier«, heißt es. Wohl wahr.

Zum Beispiel gilt der deutsche Mann als außerordentlich liebevoll, ja geradezu liebestoll. Er ist geneigt, diese Liebe bis zur Selbstaufgabe zu treiben, sie höher zu stellen als die Liebe zu sich selbst – die Liebe zu seinem Auto. Sein »Ganz-egal-wie-viel-Zylinder« ist ihm heilig. Dieses Blechgehäuse verwöhnt er, in ihm sieht er seine Mobilität, seine Freiheit. Die PS-Schleuder ist das Statussymbol des deutschen Mannes, Ausdruck seiner Wirtschaftskraft und seiner Potenz. Nimmst du einem deutschen Mann den

Führerschein, nimmst du ihm seine Persönlichkeit. Baust du keinen Mist, gehört dir dein Führerschein auf Lebenszeit. In Deutschland!

»Mr J.K. Fuchsberger, 38-42 Bridge Street, Bridgeport Apartments, Sydney 2000 N.S.W.«

Der längliche Briefumschlag sah amtlich aus. Er war vom »Königlich-Australischen Transportverband«, zuständig für die Ausgabe und Überprüfung aller Klassen von »Driver's Licenses«.

Dear Sir, stand da, sehr geehrter Herr J.K.F. Aus unseren Unterlagen ersehen wir, dass Sie demnächst 75 Jahre alt werden. Wir dürfen Sie daran erinnern, dass Ihre Lizenz vorher der Erneuerung bedarf. Ab dem 75. Lebensjahr müssen Sie sich einer gesetzlich vorgeschriebenen Untersuchung unterziehen. Dazu gehören: Hörtest, Sehtest, Reaktionstest. Eine jährliche Fahrtauglichkeitsprüfung ist erst ab dem 80. Lebensjahr vorgeschrieben.

Bitte bemühen Sie sich rechtzeitig um einen Termin bei einem unserer Prüfer.

Ort und Zeit,

Stempel, Unterschrift (unleserlich).

Jetzt hatte ich es schriftlich und von Amts wegen: Ich bin alt! Zumindest zu alt, um weiterhin ungeprüft mein Auto durch die Landschaft steuern zu dürfen. Das war nun ein herber Schlag. Völlig unerwartet.

Aber unausweichlich. Mit einiger Sorge verbrachte ich die Zeit bis zur angesetzten Prüfung vor den strengen Augen der meist asiatischen Angestellten und Mitglieder der mächtigen australischen Gewerkschaft Öffentliche Dienste, Transport und Verkehr. Großes Gebäude, viele Leute, Blechtrommeln mit perforierten Abreißrollen. Auf den gezogenen Zetteln war eine Nummer, die irgendwann auf erleuchteten Glaskästen erschien, zusammen mit der Schalternummer, wo man sich zu melden hatte.

Bei mir war es eine Sie. Ziemlich korpulent, oder besser gesagt, so breit wie hoch. Ein hübsches Gesicht, wirklich schöne Mandelaugen, dunkler Teint, rabenschwarzes Haar. Schwer zu sagen wie alt, vielleicht knappe vierzig.

Etwa vier Meter hinter ihr, an der Wand, eine Tafel mit Buchstabenreihen. Oben ganz dick, nach unten immer kleiner werdend. Zwischen uns eine dicke, sternförmig durchlöcherte Glasscheibe, distanzierte Strenge.

»Können Sie die drei unteren Buchstabenreihen auf der Tafel da hinten lesen?«

Sie drehte sich halb zu der Tafel hinter ihr, hatte aber einige Mühe damit.

Ich griff nach meiner Brille, um keinen Fehler zu machen.

»Tragen Sie beim Fahren eine Brille?«

»Manchmal!«

»Auf dem Bild auf Ihrer Lizenz tragen Sie keine Brille! Wenn Sie bei einer Kontrolle eine Brille tragen, auf dem Lizenzbild aber nicht, wird man Ihnen die Lizenz abnehmen!«

Der Ton war absolut neutral, beteiligungslos, die angedrohte Konsequenz beängstigend.

Am Rand der trennenden Glasscheibe entdeckte ich eine Kamera.

»Könnte ich eine neue Lizenz mit Brillenfoto bekommen?«

»Kostet zehn Dollar!«

»Einverstanden.«

»Treten Sie zwei Schritte zurück, sehen Sie direkt in die Kamera, und lächeln Sie nicht!«

Klick. Das Foto sah entsprechend aus.

»Lesen Sie bitte die drei unteren Zeilen!«

Die Mandeläugige nickte, schrieb etwas auf ein Papier, gab mir den Zettel: »Zahlen Sie am Schalter zwölf, kommen Sie mit der Quittung zurück, warten Sie, bis Sie namentlich aufgerufen werden!«

»Keinen Hörtest?«

»Nicht nötig, ich habe gehört, dass Sie gut hören.«

Ohne dabei aufzusehen, hob sich ihr Zeigefinger in Richtung Löcher in der Trennscheibe. Auch der Reaktionstest schien zu entfallen. Nicht ohne mich artig zu bedanken, Asiaten legen Wert auf Höflichkeit, drehte ich ab in Richtung Schalter zwölf zum Zahlen. Nach einer angemessenen Wartezeit hörte ich meinen Namen durch einen Lautsprecher, wie meistens etwas verunglimpft: »Mr Fuschenbörg, counter 4 please!«

Dann war ich draußen, mit neuer Fahrlizenz und dem Gefühl, ab sofort zu einer Gesellschaftsgruppe zu gehören, die sich wegen fortgeschrittenen Alters besonderen Kontrollen zu unterwerfen hat.

Wenn ich ehrlich bin: Warum nicht? Wie oft erlebe ich, dass ältere Verkehrsteilnehmer den Anforderungen nur schwer oder überhaupt nicht mehr gewachsen sind. Sie bringen sich und andere in Gefahr. Meinen australischen Führerschein habe ich zurückgegeben, Pilotenschein wie berichtet auch, meinen deutschen Führerschein, Ausstellungsdatum Mai 1946, behalte ich, solange ich ein Gaspedal und eine Bremse noch treten und ein Lenkrad noch drehen kann.

»Alt ist man«, hat mir neulich jemand gesagt, »wenn die Kerzen teurer sind als der ganze Geburtstagskuchen!«

Ein hübscher Spruch, wenn man mit Sprüchen

über das Alter überhaupt etwas anfangen kann. Viele reagieren empfindlich, halten es für anmaßend, fühlen sich gekränkt. Warum eigentlich? Wenn du kapiert hast, dass Freuden und Leiden dich im Alter genauso begleiten wie in der Jugend, nur halt anders, wird das Problem leichter.

Verzweiflung, Orientierungslosigkeit, Null-Bock-Einstellung sind bei vielen jungen Menschen oft ein größeres Problem als bei alten. Warum? Wir Alten haben den Vorteil, das meiste, was das Leben an Widrigkeiten zu bieten hat, schon mal erlebt und vor allem überlebt zu haben. Déjà-vu-Erlebnisse werfen uns nicht so schnell aus der Bahn.

Als die Fuchsbergers 1982 zum ersten Mal die Füße auf australischen Boden setzten, war vom Tag der Ankunft an klar: Das war »Liebe auf den ersten Blick«.

Die Freundlichkeit der Menschen, das Klima, die Farben der Landschaft, die Schönheit der Stadt Sydney, ihre geografische Lage und der unbeschreiblich schöne Naturhafen: Port Jackson. Da passte alles zusammen. Am Kingsford-Smith-Airport warteten drei Menschen auf uns. Genauer: drei alte Menschen. Erich und Edith Glowatzki und Nancy Bird-Walton.

Nancy Bird-Walton ist eine australische Luftfahrt-

Legende: das australische Pendant zu unserer Legende Elly Beinhorn. Beide lernten sich kennen, als Elly Beinhorn 1932 auf ihrem Flug um die Erde, in einer offenen, nur mit Stoff bespannten »Klemm 26« auf Mascot Airfield, dem damaligen Flugplatz von Sydney, landete. Zehntausende warteten auf die »Fliegende Lady« aus Deutschland, bereiteten ihr einen triumphalen Empfang.

»Das will ich auch werden!«, sagte die junge Nancy Bird und wurde es.

Sie flog ungezählte Stunden in wackligen Flugzeugen in die unendlich weiten, gottverlassenen Gebiete des Outback, bei Tag und Nacht, bei Wind und Wetter, um verunglückte Farmer oder kranke Kinder ins nächste Krankenhaus zu bringen und sie so vor dem sicheren Tod zu retten.

Jüngst wurde der erste »AIRBUS 380« im Dienst der australischen Airline QANTAS auf ihren Namen getauft.

Nancy Bird und Elly Beinhorn, zwei große alte Damen der Luftfahrt. Beide wurden zwar nicht mit Staatsbegräbnissen, aber mit Luftparaden in Berlin und Sydney geehrt.

Jetzt stand Nancy Bird-Walton also mit den Glowatzkis am Ausgang der Zollkontrolle und wartete auf das, was da aus Deutschland kommen sollte.

Nancy hatte einen Korb voll unbeschreiblich schöner Kamelien dabei. »Aus meinem Garten«, sagte sie und überreichte sie Gundel.

Vom ersten Moment an hatten wir das Gefühl, auf der anderen Seite der Erde willkommen zu sein.

Die Glowatzkis wurden unsere Berater, führten uns in die Sydneyer Gesellschaft ein. Brachten uns mit Leuten zusammen, die ihrer Meinung nach wichtig waren für unsere beruflichen Pläne. Bewahrten uns aber ebenso, und manchmal drastisch, vor Fehlern, die wir aus Unkenntnis anderer Sitten in einem anderen Land sicher gemacht hätten. Einen schon fast abgeschlossenen Hauskauf verhinderte Erich mit den Worten: »Nee, das koofste nich – da führen die Leute ihre Hunde spazieren, die dir alles vollscheißen!«

Wir kauften nicht!

Im Alter etwas Gutes tun. Wie sagte Erich Kästner: »Es gibt nichts Gutes, außer man tut es!«

Die drei taten es. Unendlich viele Möglichkeiten helfen alten Menschen, der Tristesse des Alters mit einem gehörigen Selbstwertgefühl zu trotzen: Ich werde gebraucht, ich kann anderen helfen, ich lass mich nicht in eine Ecke abschieben, in der ich vor mich hinmiefe. Ich lass mich nicht belächeln, wenn ich meine alten Knochen mühsam vorwärtsschleppe, ich lass mich nicht dumm anschauen, wenn aus dem Löffel in der zittrigen Hand die Suppe auf den Tisch tropft, ich erlaube keine schiefen Blicke, wenn ich mal wieder was Wichtiges vergessen habe, was immer öfter geschieht, ich kann's nicht ändern, verdammt noch mal.

Altersgenossen, lasst euch nicht einschüchtern. Verkauft eure Erfahrungen nicht für einen Apfel und ein Ei. Immer wieder versuchen smarte Grünschnäbel uns irgendwie über den Tisch zu ziehen, uns etwas vorzugaukeln. »Die Alten merken das nicht mehr!« Meinen sie.

Mit Verwunderung stelle ich fest, dass die Printmedien im Regenbogenbereich das Thema »Alter und Tod« immer begieriger aufgreifen. Manchmal so dreist, dass man sich des Gefühls nicht erwehren kann, sie betrachten uns als Fossilien mit einer gewissen »Bringschuld«. Der Unterton bei solchen Interviewversuchen ist kaum noch zu überhören: »Wie lang wollen Sie es eigentlich noch treiben? Was hält Sie noch auf den Beinen? Haben Sie immer noch Pläne – und wenn ja, welche? Wollen Sie's Johannes Heesters nachmachen?«

Was für eine dämliche Frage! Nein, das will ich nicht! Und ich bin es leid, zu erklären warum. Das ist einzig und allein Johannes Heesters Angelegenheit, wie, warum und wie lange er noch Freude daran empfindet, nicht nur zu atmen, sondern auch noch zu arbeiten.

»Wie verbringen Sie Ihren Tag?«

»Ich stehe auf und hole mir die Zeitung, schlage zuerst die Todesanzeigen auf, lese sie aufmerksam durch – wenn ich nicht drinstehe, zieh ich mich an!« Genügt das?

In allen Redaktionen liegt für den Ernstfall in einer Schublade der Nachruf bereit, weswegen eine gewisse Erwartungshaltung besteht, was unser Ableben betrifft. Man wird ja wohl noch fragen dürfen!

»Sie waren schon wieder im Krankenhaus!«

»Leider!«

»Was Ernstes?«

»Was verstehen Sie unter ernst?«

»Na ja, so halt!«

»Hätten Sie's vielleicht etwas präziser?«

»Wir haben gehört, dass Ihre Familie gerufen wurde – man soll mit dem Schlimmsten rechnen ...!«

»Woher haben Sie diese Information?«

»Wir haben sie halt!«

»Ich verstehe – also gut –, das Schlimmste ist ja nun auch eingetroffen – für Sie wenigstens –, ich hab's überlebt!«

»Wenigstens haben Sie Ihren Humor nicht verloren. Glauben Sie an Gott?«

»Das geht Sie eigentlich nichts an!«

»Unsere Leser interessiert das aber!«

»Dann sollen sich Ihre Leser in Glaubensfragen an ihre Gemeindegeistlichen wenden!«

Und doch will ich eine sehr persönliche Antwort auf die Frage nicht schuldig bleiben.

Nein, ich glaube nicht an einen bestimmten Gott. Gott ist meiner Meinung nach ein Begriff, den jeder Mensch auf seine Weise deuten muss.

Gott ist für mich kein Wesen aus Fleisch und Blut. Kein gütiger, weißbärtiger Mann, der über Recht und Unrecht auf der angeblich von ihm in sechs Tagen erschaffenen Welt wacht.

Gott ist nicht allmächtig, aber allgegenwärtig.

Wer diesen Gott nicht in sich trägt, wird ihn nicht finden, in keiner Kirche, keinem Dom.

»Haben Sie noch Sex?«

»Das geht Sie noch weniger an!«

»Sie sind sechsundfünfzig Jahre mit derselben Frau verheiratet. Wie macht man das?«

»Indem man dem Partner seine Persönlichkeit lässt. Ihn nicht als vertraglich erworbenes Eigentum betrachtet. Wir haben uns eine Formel erarbeitet, mit der wir ein Leben lang zurechtgekommen sind: Die vier ›V‹ – Verstehen, Vertrauen, Verzeihen, Verzichten – hört sich relativ einfach an, aber praktizier das mal, wenn's drauf ankommt!«

»Sind Sie stolz darauf?«

»Vielleicht das Einzige in meinem langen Leben, worauf ich stolz bin. Das ganze Gerenne um alles, was man Erfolg nennt, Geld, Popularität, gesellschaftliche Anerkennung, das sind alles Ergebnisse der Bemühungen vieler. Vieler Menschen, die dir zugearbeitet, dich gelenkt, dir Chancen gegeben, dich geschubst oder gebremst haben.

Aber ein langes Leben mit einem Menschen zu teilen, der sich nicht verbiegen lässt, der seine eigene Meinung hat und sie nicht aufgibt, nur um der Bequemlichkeit willen, das ist sicher die härteste Prüfung, vor die wir gestellt werden. Dabei hilft dir keiner, das müssen die zwei mit sich selber ausmachen. Wer das schafft, glaube ich, darf stolz darauf sein.«

Was gehört noch zum Altwerden? Dass man sich die besten Ärzte leisten kann. Die besten, nicht die teuersten! Geh zu zehn »weißen Halbgöttern«, und du bekommst zehn verschiedene Diagnosen!

Ganz so schlimm ist es nicht, aber es ist etwas Wahres dran. Das Verhältnis Arzt – Patient beruht auf Vertrauen, hängt von der Bereitschaft zur Zusammenarbeit ab, wobei man als selbstverständlich voraussetzen kann, dass der Arzt sein Bestes gibt – aber ist das immer gut genug?

Du lächelst gequält, wenn dein Doktor dich mit umwölkter Stirn fixiert und eindringlich erläutert: »Ersetzen Sie Schweinsbraten mit Knödel und Soße durch gedünstetes Gemüse oder frischen Salat. Statt zwei halbe Helles oder einen halben Liter Roten, ein stilles Mineralwasser vielleicht. Beim gesunden, frisch gestochenen, Wasser treibenden und daher gesunden Spargel aus Schrobenhausen oder Schwetzingen lassen Sie die ungesunde Hollandaise einfach weg, das dazu empfohlene Wiener Schnitzel am besten auch. Die hochprozentige, ausgesuchte Walderdbeere im eisgekühlten Glas oder die Eiscreme mit dem dazugehörigen Schuss Wodka oder Champagner sind zugegebenermaßen ein beliebter Nachtisch, aber auch nicht gerade empfehlenswert für herzkranke alte Herren mit Vorhofflimmern, dicken Beinen und Übergewicht, um nur einige der zunehmenden körperlichen Malaisen zu nennen.«

Soll ich die Liste fortsetzen?

Der Doktor ergänzt sie ohnehin durch weitere Verbote liebgewordener Gewohnheiten.

»Auch wenn es die Welt ist, in der Sie leben, sitzen

Sie weniger im bequemen Sessel vor dem Fernseher. Sie brauchen Bewegung, gehen Sie an die frische Luft. Treiben Sie Sport, oder schwimmen Sie, egal was, bewegen Sie sich ...!«

Da sitzt du bei deinem Doktor, sinkst bei seinen Vorschlägen immer mehr im verchromten Praxissessel zusammen und versprichst am Ende das Blaue vom Himmel. Dabei weißt du beim Verlassen der Praxis schon ziemlich sicher, was du alles nicht tun wirst.

»Es kann sein«, sagte mein Doktor in Sydney, »dass dich ganz plötzlich bleierne Müdigkeit überkommt! Wenn das passiert, leg dich sofort hin, ganz egal, wo du bist, und wenn's auf der Straße ist! Leg dich einfach hin!«

Seither denke ich an diese bleierne Müdigkeit mitten auf der Leopoldstraße in Schwabing. Mach das mal! Im günstigsten Fall halten dich die Leute für betrunken.

»Vergessen Sie nicht, gesund werden ist letzten Endes auch eine Frage des Charakters! Ich weiß, es ist nicht leicht! Dazu gehört eben auch Disziplin«, setzte der Chef der Kardiologie am Harlachinger Klinikum noch einen drauf und lächelte freundlich!

Also bitte, was fängt man damit an? Hört man mehr auf den Doktor oder auf die Einflüsterungen guter Wirte, die dich nur zu gut kennen und wissen, wo du anfällig bist?

Und schon bereitet dir der geliebte Schweinsbraten weniger Kummer als dein innerer Schweinehund. Der versteht es trefflich, die Sinne für verbotene Köstlichkeiten zu schärfen und das Wasser im Mund zusammenlaufen zu lassen.

Da ist halt der große Unterschied zwischen dem Rezept für die Küche und dem Rezept für die Apotheke.

Vernunft gegen Versuchung. Dieser Gewissenskonflikt wird dich ab jetzt begleiten, bis ans Ende deiner Tage.

Da ist das »Forsthaus Wörnbrunn«, da ist die »Grünwalder Einkehr«, da ist das »Gasthaus zur Mühle« mit der langen Rutsche für die berühmten »Isar-Flößer« – alles Etablissements bayerischer Köstlichkeiten, auf die zu verzichten ich mir kaum vorstellen kann.

»Schweinsbraten in dunkler Biersoße«, mit einem fingerdicken »Rammerl«.

Leicht angebratene »Krautwickerl« mit Kartoffelbrei.

Drei »Weißwürscht mit katholischem Senf« und einer frischen Breze.

»Rindsroulade mit Bratkartoffeln und Blaukraut«,

»Schweinswürschtl mit Sauerkraut«,

»Abgebräunter Leberkäs mit Kartoffelsalat«!

»Gaisburger Marsch« oder »Abgeschmelzte Brotsuppe mit Bratkartoffel und Leberwurst«!

Und was ist mit einem goldbraun gebratenen »Hendl« auf der Wiesn, mit einer frischen Maß Oktoberfestbier oder einer Halben Weißbier und einem »Obstler« hintendrauf?

Soll ich weitermachen?

Seit Jahren bitten mich eingeweihte Freunde um ein Töpfchen selbst gemachtes »Griebenschmalz«, mit geheim gehaltener Gewürzmischung. Für die Folgen übernehme ich keine Haftung, hab aber sicherheitshalber auf den Deckel geschrieben: »Blackys Griebenschmalz – ungesund, aber saugut!«

Aufgestrichen auf eine Scheibe »1331 Bauernbrot« aus der Hofpfisterei, und du meinst, ein Engelchen habe dir auf die Zunge gepinkelt!

Sollen das alles »tempi passati« sein? Vorbei für den Rest meiner Tage?

»Wir empfehlen«, so steht auf dem vom Klinikum mitgegebenen Arztbrief, »die Flüssigkeitszunahme auf 1,5 Liter stilles Mineralwasser pro Tag zu beschränken. Eine drastische Verminderung der Zufuhr von Salz oder anderen Würzmitteln erscheint geboten.«

Dann hör ich doch auch gleich auf mit der ins Ufer-
lose angewachsenen Pillenfresserei. Irgendwann kam
ich auf sage und schreibe einunddreißig blaue, weiße,
rote, braune oder sonstwie farbige, runde, längliche,
ovale, gespaltene und sonstwie gepresste, über den
Tag verteilte, chemische oder homöopathische, auf
jeden Fall sauteure Medikamente, die vor allem den
Umsatz meiner Apotheke gesteigert haben. Bei der
Bezahlung hatte ich manchmal das Gefühl, mit der
Medizin Besitzanteile an der Apotheke erworben zu
haben.

Jetzt beschränke ich mich auf die tatsächlich not-
wendigen, lebenserhaltenden Medikamente. Es sind
gerade mal noch sechs, und es geht mir wesentlich
besser.

Auch das eine Alterseinsicht: Es muss nicht immer
mehr sein! Im Gegenteil – weniger ist oft mehr und
macht fröhlicher.

Milliarden von Fliegen können sich nicht irren

Irgendwann im Spätherbst des Jahres 1958, Sohn
Thomas Michael war gerade mal ein Jahr alt, machte
ich meinen vierten Film in Folge. »Der letzte Mann«

hieß das Remake mit Romy Schneider und Hans Albers in den Hauptrollen. Regie führte Dr. Harald Braun. Gedreht wurde in den Bavaria Filmstudios in Geiselgasteig, Gemeinde Grünwald, damals nichts weiter als ein ruhiger Marktflecken mit viel Landwirtschaft drum herum, heute eher verschrien als nobles Millionärsviertel der Bussi-Hauptstadt München.

Aber da waren eben die Filmstudios. Harald Braun mit seiner NDF drehte diesen Film und gab mir die Chance, die mit »08/15« begonnene Karriere nahtlos fortzusetzen.

Die kleine Fuchsberger-Familie wohnte damals noch in einem moralisch leicht lädierten Apartmenthaus in Schwabing, Ainmillerstraße 5.

»Stoßburg« oder auch »Kaserne der einsamen Herzen« genannt bot dieses neu erbaute, neunstöckige Monstrum beste Gelegenheiten zu jeglicher Art von »Kontaktpflege«. Im obersten Stockwerk ließen wir einige Einzimmer-Apartments zu einer geräumigen, ansehnlichen Dachterrassenwohnung ausbauen und fühlten uns von Stund an dort sehr wohl. Bis wir eines Tages, zu Tode erschreckt, unseren geliebten Sohn beobachteten, wie er mit kaum anderthalb Jahren auf sein Dreirad kletterte, sich über das Geländer beugte und aus dem neunten Stock begeistert den Verkehr auf der Leopoldstraße verfolgte.

Seit diesem Tag suchten wir intensiv nach einer Behausung zu ebener Erde und fanden nach einer Rundreise durch alle in Frage kommenden Stadtteile der Isar-Metropole das Grundstück in der Hubertusstraße, die eigentlich nur ein Hubertus-Waldweg war. Ein einziges Haus stand da, sonst nichts, mitten im Perlacher Forst, Wochenenddomizil des Hippodrom-Bierzelt-Besitzers auf dem Oktoberfest. Aber nicht diese Nachbarschaft war es, warum wir uns zum Kauf entschlossen. Es war die Nähe zum Bavaria-Filmgelände, es war der damals noch erschwingliche Preis für das halbe Tagwerk, und es war – und das war eigentlich der Hauptgrund – eine stattliche Buche, kaum sichtbar inmitten von etwa hundert Fichten, die wie kahle Rasierpinsel in die Luft ragten.

Ich weiß nicht wieso, aber von der ersten Sekunde an hatte ich eine besondere Beziehung zu diesem Baum. Er strahlte etwas aus, was ich damals nicht definieren konnte. Eine seltsame Kraft. Solange der lebt, dachte ich, lebe auch ich! Also erfreute er sich besonderer Aufmerksamkeit, vor allem beim Fällen der hundert Rasierpinsel ringsherum. Eine Holzfällergruppe aus Niederbayern machte das prächtig. Mit Ansage fällten sie einen Baum nach dem anderen auf den Zentimeter genau. Bis nur noch drei Bäume standen. Eine sehr hohe Fichte, eine schon sehr erwachsene Birke und die Buche – und genau in die hinein fiel die Fichte und riss ein gutes Stück der linken Seite mit in die Tiefe.

Ich kann mich nicht erinnern, je in meinem Leben, bis heute, so gebrüllt zu haben wie in dem Augenblick, als ich die schweren Äste brechen hörte und mit ihrem vollen Laub zu Boden sinken sah. Ich geriet völlig von der Rolle und schwebte vor Wut einige Zentimeter über dem Boden, wie das HB-Männchen. Die Holzfäller sahen mich betreten an und dachten wohl, ich sei übergeschnappt. Wie kann man sich wegen einem Stück Holz so aufregen?

»Das verwächst sich«, versuchten sie mich zu trösten. Vergeblich! Mein Lebensbaum war verletzt, verschandelt, und ich war verstört. Als hätte man mir einen Arm abgeschlagen. Ich sehe die Wunde bis heute – niemand sonst sieht sie.

Wir haben dann eine Rundbank um diesen Baum herum gebaut. Nach zehn Jahren war mein Lebensbaum so gewachsen, dass er die Bank sprengte. Vor zehn Jahren, nach drei Herzoperationen, empfahl man mir eine Schmerztherapie. Ein chinesischer Akupunkteur sah die Buche im Garten. Er sprach kein Wort Deutsch, seine Frau übersetzte: »Meine Nadeln können dir helfen, aber viel besserer Doktor ist Baum. Umarme Baum und rede mit ihm! Sag, er soll dir Kraft abgeben. Leg die Stirn an die Rinde und hör, wie sein Blut fließt, dann spürst du auch deins, und Schmerzen fliehen!«

Ich habe das gemacht, und die Schmerzen waren wie verflogen.

Heute ragt die Buche »Philemon« mit einem gewaltigen Stamm in den weiß-blauen Himmel, auf Augenhöhe mit der Birke »Baucis«. Wenn es mir schlecht geht, umarme ich »Philemon« und rede mit ihm. Unter seinem Blätterdach steht eine alte Holzbank, auf der ich gerne sitze und meine Altersgedanken den bemoosten Stamm entlang nach oben schicke, wo sie sich in den Ästen verlieren. Philemon wird mich überleben. Wenn nicht, könnte das auch mein Ende sein.

Was aber sind meine Altersgedanken?

Da ist der bekannte Vergleich mit den Gläsern. Der Pessimist sieht das Glas halb leer, der Optimist halb voll. Mein Glas ist halb voll. Bevor ich es bis zur Neige leere, kommt einer und schenkt nach. Auch meine Tanks, der in meinem Körper und der in meinem Auto, werden nie bis auf den letzten Tropfen leer gefahren. Bevor ich liegen bleibe, kommt immer eine rettende Tankstelle, nur an der darf ich nicht vorbeifahren.

Das heißt, wir halten die Augen offen und sehen, was um uns herum geschieht. Wir halten die Ohren offen und hören, was für uns noch wichtig ist. Wir halten die Sinne wach und entdecken, was für uns noch neu ist. Damit haben wir genug zu tun.

Es kommt die Zeit, da andere anfangen, darüber nachzudenken, ob du noch »zu gebrauchen« bist, ob du den »Ansprüchen noch genügst«.

Du selbst hast da kaum Zweifel, aber die Anderen eben. Die »Anderen«, das sind die, die an den Hebeln sitzen, und die, die gut können mit denen, die an den Hebeln sitzen. Die unkündbar hinter Schreibtischen sitzen, ihre Macht genießen und darüber bestimmen, ob du ihren Ansprüchen genügst, ob du immer gefügig und gefällig warst, nie hast erkennen lassen, du seist der Meinung, dass sie wenig Ahnung haben von dem, was sie tun, kurz, dass du immer bereit warst, aus deinem Herzen eine Mördergrube zu machen.

Die Anderen sind die, die sich mit dem Kriterium »gut genug« zufriedengeben. Die darauf achten, dass vorkalkulierte Zeiten eingehalten werden, egal wie, ein vorher bestimmtes Arbeitspensum abgeliefert wird, egal wie. Gut genug für wen? Für die Auftraggeber in den Anstalten? Gut genug für die ausführenden Künstler in den Studios? Gut genug für die Zuschauer zu Hause an den Bildschirmen, in den Kinos und im Theater?

Gut genug ist meiner Meinung nach eben nicht gut genug. Nur gut ist gut!

Wir Alten haben vielleicht andere Wertvorstellungen, geben uns nicht mehr so schnell zufrieden mit dem, was man uns in die Hand drückt, sagen nicht aus Existenzangst zu allem »Ja und Amen«.

Wir sind bedächtiger, im wahren Sinn des Wortes, denken länger nach, ob das, was man von uns erwartet oder verlangt, Sinn macht. Wir lassen uns nicht mehr so schnell ins Bockshorn jagen, ein X für ein U vormachen. Das hat nichts mit Altersstarrsinn zu tun, eher mit Lebens- und Berufserfahrung, mit Selbstachtung, und die gilt es zu erhalten. Wir sind weder Schrott noch zur Entsorgung aufbereiteter Müll. Hält man uns dafür, haben wir es uns selber zuzuschreiben. Benehmen wir uns nicht wie alt gewordene Junge, sondern wie jung gebliebene Alte. Ich weiß, wovon ich rede. Ich mache aus meinem Alter keinen Hehl, kokettiere damit, mach mich lieber noch älter, als ich eh schon bin, das kommt an. Besser auf jeden Fall, als wenn man sich hinter deinem Rücken lustig über dich und die abgeschummelten Jahre macht.

Das heißt aber nicht, im Alter alles mit der Behauptung abzutun, früher sei alles besser gewesen. Stimmt ja nicht. Es war nicht besser, es war anders. Außerdem erkenne ich mit größtem Respekt genug so genannte »Junge«, die mit großem Talent und ebenso großem Ernst ihrer Arbeit nachgehen und Großes leisten. Aber vieles, was die Jugend interessiert, cool findet, begeistert oder empört, verstehen wir Alten nicht mehr, finden keinen Zugang dazu. Wir tun uns schwer mit den neuen Techniken. Aber müssen wir denn immer alles verstehen?

»Lass doch der Jugend ihren Lauf ...«

Wir Alten müssen doch unsere Nasen nicht in alles stecken, müssen doch nicht alles besser wissen – auch wenn es so ist.

Was sich bei »DSDS« vor und hinter der Jury abspielt, mag uns noch so grotesk, noch so inhuman erscheinen. Es mag uns noch so sehr abstoßen, wenn ein mittelbegabter Schlagerfuzzi mit Verbalinjurien um sich schmeißt und bei seinen vermeintlichen Opfern bleibende psychische Schäden anrichtet, es ist nicht für uns gemacht, und es wird auch weiter produziert werden. Ich glaube, es war der Kabarettist Werner Schneyder, der gesagt hat: »Scheiße muss gut sein, Milliarden von Fliegen können sich nicht irren!«

Was für Monstrositäten sich bei »Big Brother« oder in obskuren Camps auch abspielen mögen, wir Alten können uns mit Grausen abwenden, es wird weiterhin Anstalten geben, die ihre Akteure vor Kameras kopulieren und Kakerlaken fressen lassen. Und nicht nur die Privaten, auch die öffentlich-rechtlichen Sendeanstalten scheuen sich nicht mehr, ihre Moderatoren und Kandidaten ihre so genannte »Samstagabend-Unterhaltung« mit tierischen Exkrementen unter die überwiegend angeekelten Zuschauer bringen zu lassen.

Trotzdem ist die ständige allgemeine Schimpfkanonade völlig unberechtigt. In der »guten alten Zeit« gab es zwei Programme, ARD und ZDF, und beide Fernsehkanäle gehörten noch in den Bereich »technische Sensation«. Wir waren alle fasziniert und dankbar für das »Schwarz-Weiß-Geflimmer« auf den kleinen Bildschirmen. Die Qualität war uns allen ziemlich egal. Fernsehen – dabei sein, wenn irgendwo in der Welt etwas geschieht – toll!

Heute ist das gleiche Medium eine alltägliche und allnächtliche Selbstverständlichkeit. Es gibt nicht nur die zwei öffentlich-rechtlichen Systeme, sondern unbegrenzt viele Anbieter, weltweit, die wir uns ins Haus holen können, vorausgesetzt, wir haben die Mittel dafür. Damit haben wir aber auch das Problem der »Qual der Wahl«! Buchdicke Programmzeitschriften bieten unzählige Programme zur Wahl, aber der Normalseher fühlt sich überfordert, den Programmwald zu durchforsten. Lieber »zappt« er sich per Fernsteuerung durch die Kanäle, hat keine Geduld, um festzustellen, ob ihm gefällt, was er sieht, legt das Ding enttäuscht weg und schimpft auf das miserable Programm. Kein Mensch kann mir erzählen, dass er einen ganzen Fernsehabend lang kein einziges Programm findet, das ihn interessiert. Das Angebot ist wahrlich groß genug, die meisten von uns sind nur zu faul, es zu finden.

Überhaupt ein großes Thema: die Familie und das Fernsehprogramm! Da prallt aufeinander, was sich in einer Familie individuell durchzusetzen versucht. Oder ist es eher eine intellektuelle Auseinandersetzung? Was will er, was will sie, was wollen die Kinder, was will der Hund? Ich hab's erlebt: »Unser Bello kann Volksmusik nicht leiden – da fängt er sofort an zu jaulen! Wir sehen aber den Musikantenstadl so gern!« Ich denke, dass Bello einen besseren Geschmack hat als Herrchen und Frauchen. Ansonsten halte ich es für durchaus möglich, dass die findige Industrie in absehbarer Zeit Schlafplätze mit Fernsehanschluss für die vierbeinigen Familienmitglieder auf den Markt bringen wird.

Der tägliche Blick in den Spiegel. Er ist halt unvermeidlich. Zwei untrügliche Beweisinstrumente unseres menschlichen Verfalls sind Spiegel und Waage. Der Spiegel ist unbestechlich, zeigt dir die Wahrheit. Diese kann grausam sein. Die Waage ist psychisch einfacher zu verkraften. Zeigt sie, wie besorgniserregend dein Übergewicht ist, kannst du ja immer noch an der Stellschraube ein paar Kilo zurückdrehen.

Früher schien es auf ein paar Kilo mehr oder weniger nicht anzukommen, wenigstens waren sie nicht direkt lebensbedrohend. Das ändert sich unverhofft.

»Wir haben Sie jetzt so eingestellt«, sagte die rundliche Oberschwester im städtischen Klinikum bei der Verabschiedung, »dass Sie zwischen 84 Kilo untere und 86 Kilo obere Grenze am wenigsten Gefahr laufen, einen Schlaganfall zu bekommen.«

»Na wie schön!«

»Allerdings ist das schon ein Kompromiss an Ihren Beruf. Zweimal die Woche sollten Sie den Coagu-Bluttest machen! Der Blutgerinnungswert sollte am besten bei 2,4 INR liegen. Wenn Sie die Flüssigkeitszufuhr bei 1,5 Liter am Tag und in der Nacht halten können, müssten Sie mit 750 Milligramm Lasix auskommen.«

»Ich werd's versuchen!«

»Notwendig ist auch die halbjährliche Kontrolle

des Herzschrittmachers. Das wär's im Großen und Ganzen! Wenn irgendwas sein sollte, kommen Sie wieder zu uns.«

Eingestellt wäre ich also perfekt. Jetzt müsste ich mich nur noch daran halten. Leichter gesagt als getan.

Der Blick in den Spiegel, am frühen Morgen, ist ein Dialog mit dir selbst. Lügen zwecklos. Was du siehst, ist »augenscheinlich« nicht dazu angetan, den vor dir liegenden Tag zu verschönern. Nach einem weiteren Beweis seniler Bettflucht, manchmal vor der Breitwandglotze, mit gleichermaßen anziehenden wie abstoßenden, stöhnend und quietschend dargereichten, jedenfalls nackten Verlockungen siehst du sexuell ernüchtert der traurigen Wahrheit ins Gesicht. Grobe Poren, Falten um Mund und Nase, trockene Haut, Säcke unter den Augen. Die tieferen Regionen, dicke Beine, Ödeme, Krampfadern. Das ist das, was man der Umwelt noch zu bieten hat. Alles andere als erfreulich. Oder?

Eine elektrische oder schaumige Rasur, mit nachfolgend eingebranntem Duftwasser, hebt zwar etwas die Stimmung, hilft aber mit Blick auf die Beschaffenheit des Allgemeinzustandes nur wenig. Was tun?

Man müsste schon mit Tomaten auf den Augen

durch die Landschaft gehen oder sie gänzlich vor der bitteren Wahrheit verschließen: Der Truthahnhals wackelt von Tag zu Tag tiefer in dem offenen Hemdkragen. Geschlossen, mit Krawatte, wirkt das Ganze noch unansehnlicher. Der Bruch im etwas überhängenden Bauch auch.

Soll also einer der in Gazetten und Magazinen gepriesenen Schönheitschirurgen sein Skalpell schleifen und meinen diversen Gehängen zu Leibe rücken?

Mit mir nicht! Nein und dreimal nein! Ich habe da so einige »Beschnittene« vor meinem geistigen Auge, nein danke! Ich denke, wir sollten das lassen. Bis heute bleibe ich beharrlich bei meiner Weigerung, hinsichtlich meines äußeren Erscheinungsbildes irgendwelche kleineren oder größeren Korrekturen operativ anbringen oder etwas wegschneiden zu lassen. Und dabei bleibt's! Wem irgendwas bei meinem Anblick nicht gefällt: bitte einfach wegschauen.

Zugegeben, Beerdigungen sind eigentlich alles andere als lustig. Altersbedingt verbringe ich zunehmende Teile meiner restlichen Lebenszeit auf Friedhöfen, um mich von mehr oder weniger geliebten Menschen beiderlei Geschlechts zu verabschieden. Und zwar für immer.

Bei solchen Gelegenheiten sehe ich mich um. In

der Gewissheit, dass jeder mal drankommt, mit zunehmendem Interesse. Der Abschied von einem Menschen oder auch einem Tier, es gibt da die tollsten Einfälle, ist und bleibt eine traurige Sache. Entsprechend hüllt man sich in Schwarz, bemüht sich um ein angemessen trauriges Gesicht, lässt den Körper gramgebeugt hängen oder zumindest etwas einsinken, je nach Zugehörigkeit zum Verblichenen.

Zunächst steht man schweigend in der Gegend herum, taxiert die anderen Trauergäste, deren Haltung und Aufmachung. Beim gegenseitigen Erkennen lächelt man sich verhalten zu. Dabei bewegt einen bereits die Frage, wo man sich einordnen soll. Vor allem in der Aussegnungskapelle. Bescheiden in den hinteren Reihen? Oder auf einem der reservierten Stühle vorne, in der Nähe des aufgebahrten Sarges?

Später dann, auf dem Weg zur letzten Ruhestätte, zu der der ausgesegnete Leichnam gezogen, geschoben, getragen oder sonstwie transportiert wird, was demselben letzten Endes egal sein kann, kommt es darauf an, wie du dich gleich am Anfang positioniert hast. Entweder du zockelst in Gedanken an die nächsten Termine versunken abgeschlagen hinterher, oder du hast es verstanden, dich aus der Bankreihe relativ früh heraus- und in das Gefolge hineinzudrängen. Hinten geht man relativ normal, vorn hingegen schreitet man. Der Unterschied wird bemerkt! Nicht vom Dahingegangenen, nehme ich an, aber recht kritisch von den trauernden Hinterbliebenen.

Es sei noch bemerkt, dass Beerdigungen nach meiner langjährigen Erfahrung zu der Art von Veranstaltungen gehören, bei denen sich die Stimmung sehr schnell ändern kann. Von einem Extrem ins andere, vom Trauerspiel zur Groteske.

Zu einer solchen Veranstaltung waren mein Freund und Nachbar, Rolf Wilhelm, und ich vor vielen Jahren eingeladen. Ein Nachbar hatte das Zeitliche gesegnet. Wir waren gebeten, ihm die letzte Ehre zu erweisen, und wollten das auch tun, mit dem gebotenen Respekt.

Wir hatten uns nach der Aussegnung gut positioniert, waren im Trauergefolge weit vorn, mitten unter gramgebeugten Familienmitgliedern. Es regnete.

»Grau wie der Himmel lag vor uns die Welt, zum Abschiednehmen just das rechte Wetter ...«, im Zweifelsfall ein Zitat von Goethe oder Schiller.

Unter schwarzen Regenschirmen verkürzten sich zwei Trauernde den langen Weg zur Grube durch Austausch von Meinungen und Erinnerungen über und an den Toten, da vorne in der Kiste.

Und das in gepflegtem Bayerisch, eigenständige Sprache deutscher Abstammung, für solche Events vorzüglich geeignet.

»Meiomei, a bessers Wedder hätt' er sich scho aus-suche kenna. I glaab, der liegt jetzt da vorn in seiner Kisten un freit se narrisch, dass mir do a hoibe Stund im Dreck umanander hatschen müssen.«

Zustimmendes Gemurmel, von den tief in die Stirn gezogenen Hutkrempen tropfte das Him-melsnass. Nur einer versuchte eine lahme Vertei-digung.

»Aber für's Wedder kann er ja nix, da kann er mit all seinem Geld aa nix mache!«

Mein Freund Rolf und ich fingen an, uns zu amü-sieren. Der Dialog hatte Ludwig Thoma'sche Quali-täten.

Wenn auch die letzte Bemerkung im Konjunktiv richtiger gewesen wäre: Hätte mit all seinem Geld aa nix mache kenna.

»A Großkopfater is er g'wesen, immer bloß mit Leit z'amm, die wo a Geld ham. Un nix hat er hergeben, a Geizkragen war er, oder hast du vielleicht scho amoi was kriegt von ihm?«

»I ...? Na, i net ...!«

Lange Pause.

»I hob immer denkt, dass du was kriagt hast!«

»Ii ...?«

Dieses langgezogene »I«, unterstrichen von einem stummen Kopfschütteln, ist der typisch bayerische

Ausdruck höchsten Erstaunens, gepaart mit Empörung gegenüber einer derartigen Vermutung.

»Geliehen hat er mir mal was, aber dafür hat er mir sauber Zinsen aufgebrummt, akkurat so viel wie a richtige Bank. So g'schert is er scho, a richtiger Geizkragen is er!«

»Is er g'wesen«, verbesserte der Gesprächspartner, »aber hast scho recht, auf seim Geld is er g'sessen wie a Henne beim Brüten!«

Es folgten ein paar Verbalinjurien, und es fiel uns immer schwerer, nicht lauthals loszulachen.

Das Grab war auf einem kleinen Hügel ausgehoben, den es für die Redner zu erklimmen galt. Wie gesagt es regnete nachhaltig, was den Anstieg auf den Hügel durch zunehmende Glätte erschwerte. Es entbehrte nicht einer gewissen Komik, wie die einzelnen Trauerredner die Schwierigkeit, das am Gipfel aufgestellte Mikrofon zu erreichen, auf individuelle Art zu meistern suchten. Wir mussten uns wirklich zusammennehmen. Aber dann kam eine Situation, die den Abschied des lieben Nachbarn zur Groteske werden ließ. Zu erwähnen wäre noch, dass der Verstorbene eine enge Beziehung zu seinem Hund hatte, einem überdimensionalen Neufundländer, der allerdings nicht anwesend war, durch ein Mitglied des Vereins »Deutscher Neufundländer Klub e.V.«

aber würdig vertreten wurde. Diese Gattung bellender Grundstücksbewacher wird mehr und mehr ein Grünwalder Problem. Wenn wir schon von ewiger Ruhe sprechen, die ist dahin, und einige gut nachbarschaftliche Beziehungen sind es durch das Überhandnehmen der steuerpflichtigen Lärmmaschinen auch. Meiner Meinung nach wäre es eine Doktorarbeit wert, wie man dem Problem beikommen kann. Durch Erziehung der Kläffer, oder der Hundebesitzer. Aber zurück zur Beerdigung.

Dieser Vertreter des »Deutschen Neufundländer Klubs e.V.« war von Statur klein und dick, »gut durch den Winter gekommen«, wie man in Bayern zu sagen pflegt. Schon deshalb hatte er Schwierigkeiten, den durch den strömenden Regen glatt gewordenen Hügel zu erklimmen. Was es ihm aber fast unmöglich machte, das war der niederzulegende Kranz, der ihn an Größe und Umfang um einiges überragte. Warum um alles in der Welt hatte er dieses blumengeschmückte Monstrum nicht vorher abgegeben? Unter noch versteckt heiterer Anteilnahme der Trauergemeinde versuchte er, das überdimensionale Gebinde nach oben zu bugsieren. Endlich dort angekommen, die Situation verbot, ihm verdienten Beifall zu spenden, verschnaufte er eine Weile, hielt den Kranz mit steil aufgerecktem rechten Arm, während er mit der

Linken das für ihn viel zu hoch eingerichtete Mikrofon in Nasenhöhe zu bringen versuchte.

Als ihm auch das gelungen war, richtete er zuerst seinen Blick und nach gekonnter Pause seine Worte an die schon etwas angekicherte Trauergemeinde: »Liebe Freunde des Verstorbenen, ich habe die traurige Ehre, im Namen des Deutschen Neufundländer Klubs ...«

Bis dahin war es grade noch gut gegangen, man hatte, wenn auch mühsam, die gebotene Fassung bewahrt. Jetzt ging's einfach nicht mehr. Wir fingen an zu lachen, konnten nicht aufhören, handelten uns böse Blicke ein. Der Verstorbene hat es uns hoffentlich nicht verübelt.

Vielleicht hat er von irgendwo zugesehen – und auch gelacht?

Ich würde mich freuen, wenn bei meinem Abschied nicht nur geweint, sondern auch gelacht würde.

Ich denke an eine andere Beerdigung. Der Stiefvater von Romy Schneider wurde in Köln zu Grabe getragen. Der Friedhof war weiträumig abgesperrt. Tausende waren gekommen, um mitzuerleben, wie der prominente Gastronom von seiner Familie und der »Prominenz aus Bühne, Film und Funk« zur letzten Ruhe gebettet wurde. Vor allem aber wollten sie sehen, ob ihr geliebter »Romy-Superstar« kommt. Sie kam nicht. Aber es war so viel autogrammwichtige Prominenz erschienen, dass es für die Jäger kein Halten mehr gab. Sie durchbrachen die Absperrungen und fielen über ihre Opfer her, ohne Rücksicht auf die Gräber.

»Haben Se Karten dabei?«

»Merken Sie nicht, dass wir auf einer Beerdigung sind?«

»Komm, stell dich nit so an, ich will doch bloß 'n Autogramm!«

Der Trauerzug war gestoppt. Einige schrieben. Der Sarg entfernte sich Richtung Grabstätte. Einige Gräber hatten unter dem Ansturm hysterisch schreiender Autogrammjäger stark gelitten. Es war furchtbar.

Dann war dieser Albtraum von Beerdigung zu Ende. Zum »Leichenschmaus« waren wir in ein bekanntes Kölner Restaurant am Ufer des Rheins geladen. Schon beim Betreten des Saales beschlich mich ein seltsames Gefühl, eine Ahnung, dass uns eine besondere Überraschung bevorstand.

Der für einige hundert Gäste vorbereitete Raum erstrahlte in totalem Weiß. Weiß überzogene Stühle, weiß gedeckte Tische mit weißen Blumen. Weiße

Wände. An der Wand gegenüber der Glasfront zum Rhein ein alles beherrschendes, riesiges Bild des Verstorbenen.

Darunter eine weiß abgedeckte Bühne. Auf dieser Bühne ein dem Bild zugewandtes Stehmikrofon, ein mit weißen Tüchern abgehangener Tisch. Auf dem Tisch ein Tonbandgerät.

Ich glaube, jeder der Anwesenden wusste, dass Hans Herbert Blatzheim sein Leben lang für Überraschungen gut war, und heute, nur wenige Stunden, nachdem wir noch eine Schaufel Erde auf seinen Sarg geworfen hatten?

Nach der Suppe und den ersten Gläsern Wein hörte man hier und da auch mal ein verhaltenes Lachen.

Plötzlich ging ein mit einem weißen Mantel bekleideter Mensch quer durch den Saal, auf die Bühne zu, stieg die zwei Stufen hoch, richtete das Mikrofon nochmals auf das Bild des Verstorbenen an der Wand zurecht, drehte sich zum Tisch, beugte sich über das Tonbandgerät, schaltete es ein, nickte und verließ die Bühne und den Saal, ohne die Anwesenden eines Blickes zu würdigen.

Und dann erschallte laut und klar die Stimme des Mannes, den wir grade zu Grabe getragen hatten.

»Liebe Freunde«, sagte die Stimme, in dem uns

allen bekannten, hochrheinischen Dialekt, dessen er sich ein Leben lang befleißigt hatte. »Liebe Freunde, jetzt habt ihr jrade die Suppe hinter euch – und noch leckere Sachen vor euch. Hoffentlich schmeckt euch der Wein, den ich ausjesucht habe. Leider kann ich nicht bei euch sein, weil ihr mich jrade einjegraben habt. Et is nich besonders gemütlich hier unten, aber da kann man nix machen. Ich wünsch noch alles Jute und juten Appetit.«

Totenstille im Raum. Was für eine Idee. Was war das? Ironie? Sarkasmus? Zynismus? Vielleicht von allem ein bisschen.

Einige applaudierten, einige lachten etwas verlegen, allgemein erholte sich die Gesellschaft nur langsam von diesem Schock.

Ehrlich gesagt ich war begeistert. Das muss einem erstmal einfallen. Vor dem Ableben eine Bandaufzeichnung für die eigene Beerdigung aufzunehmen. Dazu gehörte eine Menge Selbstbewusstsein, ein gerüttelt Maß an schwarzem Humor, und dazu gehören Ironie, Sarkasmus, ein Schuss Zynismus und eine gute Portion Mut, dem Tod die Schrecken zu nehmen. Mir egal, was man dir nachsagt: Post mortem – Hut ab Hans Herbert Blatzheim, du warst kein Feigling.

Dummheit verjährt nicht

Andere Länder, andere Sitten. In den frühen Sechzigerjahren spielte ich eine Rolle in einem italienischen Film mit dem Titel: »Ascolta mi« – »Hör mir zu.«

Eine haarsträubende Schnulze. Eine der wichtigsten Szenen spielte am Grab meiner früh verstorbenen Film-Mutter. Mit mehr Einzelheiten aus dieser »Jugendsünde« will ich nicht langweilen. Nur, was am Grab geschah, war so grotesk, dass ich seitdem bei jeder Beerdigung daran denke und enttäuscht bin, wenn nichts Außergewöhnliches passiert.

Es war auf einem uralten Bergfriedhof, in der Nähe von Neapel. Die Stimmung auf diesem Gottesacker verlangte ganz einfach Demut und Respekt.

Das Motiv für unsere Filmszene war eingerichtet, wir waren fertig zum Drehen. In diesem Augenblick ertönte herzzerreißend falsche Musik einer Blaskapelle. Diese Kakofonie aus falschen Tönen wurde überboten von schrillen Schreien professioneller Klageweiber.

Der Trauerzug versammelte sich um ein Grab, nicht weit von unserem Motiv entfernt. Die Pietät gebot die sofortige Einstellung unserer Dreharbeiten. Aber unser neapolitanischer Aufnahmeleiter war da anderer Ansicht. Er wollte die Trauergesellschaft mit Geld dazu bringen, ihre Zeremonie zu verschieben, bis wir unsere Szene im Kasten hatten. Der Versuch scheiterte kläglich. Vermutlich hatte er nicht genug geboten. Die Zeremonie ging weiter, wir mussten warten.

Die Klageweiber begannen einen seltsamen Tanz um das offene Grab und den darauf abgestellten Sarg. Dabei erzeugten sie mit ihren Zungen und Stimmbändern unglaubliche Triller in höchster Stimmlage. Es kam der Moment, da der Priester seinen Segen über alle sprach und Weihwasser über den Sarg sprenkelte. Das Zeichen, den Sarg an samtenen Bändern langsam und ohne Schieflage in die Tiefe zu senken. In diesem Moment kam Bewegung in die Trauergesellschaft. Vornehmlich die Männer fingen an zu drängeln, um dicht an den abwärtsgleitenden Sarg heranzukommen. Sie schubsten sich gegenseitig, rempelten sich an den Rand der Grube und wurden dabei laut und handgreiflich.

Plötzlich holte einer aus, verpasste einem Kontrahenten, der mit dem Rücken zur Grube stand, einen gekonnten Schwinger, was diesen rücklings in die Grube beförderte, wo er mit lautem Gepolter auf dem Sarg landete. Von dort unten ertönte ein markerschütternder Schrei. Starr vor Schreck erwarteten wir die umgehende Vendetta des Geschlagenen für die erlittene Schmach.

Prustend kletterte er aus der Grube, richtete sich zum Kampf zu voller Größe auf, entließ eine Art Lustschrei in die Luft und ging auf den Schläger los – umarmte, küsste ihn und deckte ihn unter dem Beifall aller Umstehenden mit einem unverständlichen Wortschwall zu.

Unser Aufnahmeleiter erklärte: »Wenn der Sarg in das Grab herabgelassen wird, gehen im Moment, da er den Boden berührt, alle guten Eigenschaften und das Geld des Verstorbenen auf den über, der in diesem Augenblick am nächsten steht!«

Der Kinnhaken hat dem Glücklichen dazu verholfen, dem Verstorbenen in diesem wichtigen Moment wirklich am nächsten zu sein. Direkt über ihm, nur noch der Sargdeckel zwischen dem Dahingeschiedenen und ihm, dem glücklichen Erben aller guten Eigenschaften des Verstorbenen und seines Geldes. Da war doch Dank angebracht ...

Wenn wir in den Irrungen und Wirrungen unserer Zeit nicht mehr weiterkommen, wenn der Mut zu unpopulären, aber wichtigen Entscheidungen nicht reicht oder schlicht und bedauerlich keine bessere Erklärung zur Hand ist, müssen Statistiken herhalten. Obwohl wir alle mehr und mehr allen Statistiken misstrauen.

»Glaube keiner Statistik, die du nicht selber gefälscht hast ...!«

Gerade haben wir gelernt, dass statistisch jede zweite Ehe innerhalb eines Jahres wieder geschieden wird oder in einem Dauerfiasko endet, da kommt das überraschende Statistik-Update, dass die Scheidungsrate bei verheirateten über Siebzigjährigen prozentual höher ist als bei Jungvermählten.

Das kapiere ich nun überhaupt nicht mehr. Gut, Irrungen in jugendlichen Sturm- und Drangjahren, unter dem Motto: her und auf den Baum ... sind durchaus verständlich. Es ist nun mal biologisch so eingerichtet, dass sich beim Mann, bei gewissen Erregungszuständen in der unteren Körperregion, auch das Hirn und damit der Verstand nach unten verlagert. Eine Binsenweisheit.

Nachdem aber diese tief liegenden Erregungszustände naturbedingt seltener werden, um irgendwann gänzlich auszubleiben, muss es also eine andere Begründung für die statistisch festgestellte Trennungstendenz bei den Alten geben.

Nicht das Nachlassen von Stehvermögen und Sprungkraft ... Nein, vermutlich gehen sich ältere Paare nach langem Zusammenleben auf den Wecker.

Eingefahrene Sprüche, üble Gerüche, zunehmend schlechte Manieren, Uneinsichtigkeit, unerwünschte Geräusche, die zu unterdrücken sich besonders alte Männer nicht genug bemühen.

Es soll da Exemplare geben, die ab vier Uhr nachmittags in Schlafanzug, Bademantel und Pantoffeln durch die Wohnung schleichen oder vor der Glotze sitzen und den Lebenspartner intellektuell verhungern lassen. Dass der oder die sich anderweitig nach einer »Sättigungsbeilage« umsehen, ist doch kein Wunder. Oder?

Geht miteinander aus, seht euch die Welt an, und wenn es dazu nicht reicht, auch in der nächsten Umgebung gibt es immer etwas zu entdecken.

Und redet miteinander. Bei uns ist es inzwischen zum Sport geworden, Paare zu beobachten, die im Restaurant zusammen am Tisch hocken, stumm vor sich hin glotzen und kein Wort miteinander reden. Man hat sich gerade noch über das Angebot auf der Speisekarte ausgetauscht und bestellt. Das war's dann. Ab da kein Wort mehr, kein Blick, keine appetitanregende Unterhaltung. Nichts. Schweigen. Anöden.

»Rede mit mir«, sagt dann meine Regierung, »sonst denken die Leute, wir haben uns auch nichts mehr zu sagen, wie die da drüben!«

Und ich sage ihr dann, dass das Licht in diesem

Restaurant besonders günstig für Frauen zu sein scheint, sie sähe einfach hinreißend aus.

»Das ist das Licht hier drin«, sagt sie, und wir beide lachen.

Lachen ersetzt teure Cremes, Lachen ersetzt den Psychotherapeuten. Ich weiß, viele haben nichts mehr zu lachen, aber ebenso viele haben das Lachen nur verlernt, vor allem das Lachen über sich selbst.

Das allerdings vergeht einem, wenn man Rechnungen für Jugendsünden zu bezahlen hat.

Eine der schwierigeren Übungen mit zunehmendem Alter ist die Bemühung, das Verständnis für die Jugend nicht gänzlich zu verlieren. Wir Alten werden ja neuerdings gern dafür verantwortlich gemacht, dass wir mit unseren Ansprüchen auf Lebensqualität die Zukunft der Jugend gefährden.

Nach Ansicht einiger Soziologen soll das der Fall sein. Gern nehmen Politiker diese Sorge als Begründung für ihre oft bemerkenswerten Aktivitäten her, dem zweifellos bestehenden Problem Überalterung in unserem Land zu begegnen.

Was sollen wir also machen? Uns umbringen, um der Jugend nicht weiter im Weg zu stehen?

Auf die Segnungen der Medizin und die Kunst der Ärzte verzichten, um früher ein mehr oder weniger seliges Ende zu erreichen?

Auf unsere erworbenen Versorgungsansprüche verzichten, damit die Repräsentanten unseres Staates, nach schönen Reden und dringenden Sparappellen, mit Bundeswehrmaschinen zu unseren Fußball spielenden Jung-Millionären nach Südafrika oder zur nächsten Weltmeisterschaft nach Brasilien fliegen können?

Falsch. Alles falsch.

Statt uns im Schmollwinkel zu verkriechen, um dort als beleidigte Leberwürste zu versauern, müssen wir Alten den Kontakt zur Jugend halten, uns bemühen zu verstehen, was junge Menschen heutzutage belastet und bedrückt, mit ihnen reden, über alles, wozu sie mit uns zu reden bereit sind.

Meine Regierung hat immer dafür gesorgt, dass unser Kontakt zur Jugend nicht abreißt. Vor allem unsere Arbeit in Australien führte uns aus der gewohnten Umgebung Gleichaltriger heraus, mit einem kühnen Sprung hinein in die Mentalität einer jüngeren Welt, in das Arbeitstempo von Menschen, die alle zwanzig Jahre jünger waren als wir. Das hat uns ganz schön auf Trab gebracht. Bindeglied war oft unser Sohn Thomas. Er hat uns geholfen, Probleme unserer jungen Mitarbeiter zu verstehen, mit ihnen darüber zu reden und so weit möglich mit ihnen zusammen zu klären.

Andererseits hat er für uns um Verständnis bei den Jungen geworben, wenn wir Alten uns mit unseren Schwierigkeiten plagten. Das führte zu Geduld miteinander und Verständnis füreinander. Und es führte dazu, dass der ganze Haufen am Abend, nach den anstrengenden Dreharbeiten im australischen Outback nicht in verschiedene Richtungen auseinanderlief, sondern zusammenhockte, um ein Barbecue herum, und bei Lamm, Kaninchen, Steak oder Würstchen über dem Holzkohlenfeuer, bei mehreren Sixpacks Bier Sorgen, Freuden, Erlebnisse und Erfahrungen des Tages austauschte. Dabei haben wir Alten von den Jungen mindestens ebenso viel gelernt wie umgekehrt.

Vor einem halben Jahrhundert, ich war ein flotter »Mittdreißiger«, hatte ich das Glück, mit einem der Großen aus Hollywood vor der Kamera zu stehen. Es war so eine Art »Spaghetti-Western«. Wenn ich mich recht erinnere, hieß der Schinken »10.000 Dollar auf den Kopf von Jonny Ringo«.

Jonny Ringo war Lex Barker, nach Johnny Weissmüller schönster und erfolgreichster »Tarzan«, den Hollywood auf dem Sektor männlicher Nackedeis auf die Leinwand brachte.

Mann, hatte der einen Körper! Neben ihm kam ich

mir vor wie ein unterbelichteter Wicht. Lex Barker wusste gut mit dem Pfund zu wuchern, das ihm die Natur mitgegeben hatte, war aber ständig bemüht, sein Erscheinungsbild noch zu verbessern.

Wann immer und wo immer er konnte, entblößte er seinen markanten Oberkörper und setzte sich in die pralle Sonne. Nicht genug damit, er hielt sich eine Art Fächer vor die Nase. Dieser Fächer war auf der Innenseite mit Silberfolie beklebt, entwickelte eine enorme Hitze und erhöhte den Bräunungseffekt.

Als Schauspieler hatte ich weniger Angst vor dem Superstar, da, dachte ich, konnte ich mithalten. Letzten Endes kochen wir alle mit Wasser. Aber mit dem Aussehen? Ich brauchte doch nur in den Spiegel zu schauen. Lex war an die zwei Meter groß, ich brachte mal grade einhundertsiebenundsiebzig Zentimeter an die Messlatte. Wie konnte ich Blassgesicht neben einer solchen Portion Mann bestehen?

Irgendwann saß ich halt neben ihm, da unten im Süden Spaniens, im Park hinter dem Hotel, am Schwimmbad oder in den Drehpausen am Motiv und hielt mir auch so eine Silberfolie vor die Nase.

Mit solchen blödsinnigen und gefährlichen »Gesichtsbrutzlern« bräunten wir – unsere Texte memorierend – vor uns hin und hatten bald einen Teint

Marke Lederstrumpf. Es fehlte keineswegs an Warnungen, vor allem von meiner Regierung: »Du verbrennst dir noch das Hirn ...!«

Natürlich hatte sie recht, aber was macht man gegen Eitelkeit und Minderwertigkeitskomplexe? Heute, im Alter, zahle ich die Rechnung für diesen jugendlichen Unsinn.

»Das sind ernste Lichtschäden auf Ihrer Nase«, sagte die Hautärztin, »da müssen wir was tun!«

»Was?«

»Keine Sonne mehr!«

»Und sonst?«

»Die Haut schützen, Sie sollten eine Kosmetikerin zurate ziehen!«

Meine Hautärztin sah sehr jung aus. Ob sie wohl die nötige Erfahrung hatte?

»Wenn Sie mir nicht glauben, wir haben eine Kosmetikerin im Haus.«

Was macht man in so einem Fall? Man grinst höflich und sagt: »Von Männerkosmetik halte ich nicht viel! Aber wenn Sie meinen ...«

Die Kosmetikerin war ebenfalls sehr attraktiv.

Was macht man in so einem Fall? Man grinst abermals höflich und meint: »Wir können's ja mal versuchen. Gleich?«

»Nein, in drei Wochen! Ich habe Termine bis Ende nächstes Jahr!«

Ich hatte also drei Wochen Zeit, über die Lichtschäden in meinem Gesicht, besonders die auf der Nase, nachzudenken. Ich dachte an die Dreharbeiten im australischen Outback, in glühender Sonne, bis zu 40° C im Schatten, an das viel diskutierte Ozonloch über der Antarktis. Immerhin haben wir dort zehn Jahre gewohnt, direkt am Strand des Derwent River.

Ich dachte an mein kleines, aber feines Boot »ALLES KLAR«. Katamaran, zehn Meter lang, zwei starke Dieselmotoren. Meine Freude als Kapitän auf der »Flying Bridge«, bei den Hochseeaufnahmen für unsere Fernsehserie für die ARD, TERRA AUSTRALIS, wurde durch meine Herzkrankheit beendet. Die Ärzte verwiesen auf die Unverträglichkeit von Diesel-Magnetzündungen und Herzschrittmachern.

»Eines Tages kippst du am Steuer deines Dampfers um und weißt nicht warum!«

Wir lachten, als wir das erste Mal sahen, wie braungebrannte Männer am berühmten Manly Beach von Sydney mit Spritzpistolen die Reihen der Sonnenanbeter abliefen und ihnen für einen Dollar eine Ladung Sonnenöl auf die Leiber sprühten. Hab ich mir die Lichtschäden in Australien geholt?

»Nein!«, sagte die Kosmetikerin, »die sitzen tiefer und sind älter. Haben Sie eine Sonnenbank?«

»Nein, ich bin ein naturdunkler Hauttyp. In diesen Lichtsärgen kriege ich Platzangst, das hab ich mir im Bergwerk eingehandelt, aber da war's ziemlich dunkel!«

Irgendwann erzählte ich ihr von dem blöden Blendenwettstreit mit Lex Barker.

»Oh je«, sagte sie nur und fing an, zu schmirgeln, zu salben und zu ölen. Der Erfolg war offenbar sichtbar, nach der dritten Behandlung fragte mich tatsächlich jemand, ob ich mich hätte operieren lassen?!

Und dennoch landete ich auf dem Stuhl eines Münchner HNO-Professors. Der richtete ein beachtliches Vergrößerungsinstrument auf meine Nase, runzelte die Stirn und meinte: »Da haben Sie sich wirklich die dümmste Stelle am Körper ausgesucht. An der Nase gibt es kein Material, mit dem ich die Löcher stopfen kann.«

Was für Löcher?

»Wann hätten Sie denn Zeit für eine Operation?«

Bei so etwas empfiehlt sich der Sprung ins kalte Wasser.

»So bald wie möglich?«

»Wollen Sie dabei schlafen?«

»So tief wie möglich!«

»Dann werde ich das mal arrangieren.«

Zwei Wochen später spritzte mich der zugezogene Anästhesist angenehm aus dem Bewusstsein. Ich merkte nichts davon, dass die kundige Professorenhand einen respektablen, gutartigen Tumor aus der Nase schnitt.

Nach der Operation sah ich ein paar Tage aus, als hätte ich einen Zwölf-Runden-Kampf gegen Mike Tyson verloren. Der Professor meinte zuversichtlich: »Das gibt sich. Ein paar Wochen vielleicht, dann sieht man nichts mehr, oder nur wenig!«

Ich hoffte auf seine Erfahrung und vertraute seinem Wort. Denn auch im hohen Alter bewahrt man sich ein Quantum »Resteitelkeit«. Also verordnete ich mir Stubenarrest auf unbestimmte Zeit. Die Regierung wachte mit Argusaugen über jede falsche Handbewegung Richtung Nase – darüber hinaus tat sie so, als störe sie die ganze Angelegenheit vom ästhetischen Standpunkt überhaupt nicht. Danke!

Ich brauchte ja nur in den Spiegel zu schauen. Ein alter Mann, unrasiert, dicknasig, blutunterlaufen, nur oberflächlich gereinigt, so was ist wahrlich kein reizvoller Anblick. Da stehst du dann und denkst: Dummheit verjährt nicht. Im Alter zahlen wir die Rechnung für unsere Jugendsünden.

Der Professor schien erleichtert, als er den Verband abnahm.

»Das sieht gut aus! Das war ein ziemliches Loch, aber in einem Jahr sehen Sie nichts mehr davon, oder kaum was!«

»Keine Angst, Professor, hoffentlich liegt mein Talent nicht nur in der Nase! Meine Zeit als jugendlicher Liebhaber ist schon lange vorbei!«

»Hoffentlich nicht die des Liebhabers?«

Das sollte eine wohlgesetzte Pointe sein, traf aber den Nagel auf den Kopf. Das Alter zeigt die Grenzen auf, die uns biologisch gesetzt sind. Der Ablauf des Lebens ist eine unaufhaltsame biologische und auch genetische Ungerechtigkeit. Jüngst wurden die von mir am meisten respektierten Politiker, Richard von Weizsäcker und Helmut Schmidt, zu ihren 90. Geburtstagen geehrt. Altbundeskanzler Helmut Schmidt, befragt, was ihn vom ebenfalls jetzt neunzigjährigen Altbundespräsidenten Richard von Weizsäcker unterscheide, antwortete: »Er ist besser zu Fuß als ich. Er hat Glück gehabt, er hat die besseren Gene erwischt!«

Die Jahre fordern ihren Tribut. Bei jedem! Die Frage ist vielmehr, wie geht man damit um? Versteckt man die immer deutlicher werdenden Unzulänglichkeiten: Schwerhörigkeit, Gleichgewichtsstörungen, Gliederschmerzen, nachlassendes Reaktionsvermögen, Schlaflosigkeit, Entscheidungsunsicherheit, Sehschwierigkeiten und was es sonst an Alterserscheinungen gibt, oder akzeptiert man das alles möglichst klaglos und versucht, aus dem natürlichen Verfall das Beste zu machen? Sich damit abfinden bedeutet nicht, sich aufzugeben und passiv dem unbestimmten und unbekannten Ende entgegenzujammern. Im Gegenteil! Wir Alten sind besser dran, einen für andere und uns selbst erträglichen Kompromiss zu finden. Irgendwo zwischen unintelligenter Koketterie, die uns der Lächerlichkeit preisgibt, und dem Versuch, mit Anstand und Würde alt zu werden.

Diese Würde ist jedem von uns gegeben. Diese Würde ist kein materieller Wert, hat nichts zu tun mit Arm oder Reich. Sie sollte die Summe dessen sein, was dir im Leben beschieden war und was du daraus gemacht hast.

Das Leben ist nicht gerecht, wohl eher ein ständiger TÜV, ob du noch was taugst oder nicht. Es wäre Hohn zu behaupten, Gott oder die Evolution hätten die Gaben, die sie uns auf den Weg zur Menschwerdung mitgegeben haben, gerecht verteilt. Pustekuchen! Die Welt, in der wir leben, ist nicht fair! Sie ist lediglich das, was wir daraus gemacht haben: ein globaler Markt für Macht und Egoismus, für skrupellose Vorteilnahme zum Schaden anderer. Wir haben die Welt geteilt in Gewinn- und Verlustzonen. Ich erinnere mich der Begegnung mit einem der großen Erfinder und Techniker unserer Zeit, Ludwig Bölkow, in meiner ARD-Talkshow »Heut' Abend ...«, vor gut zwanzig Jahren.

Angesprochen auf die Probleme unserer Zeit, sagte der Wissenschaftler damals: »Die großen Probleme unserer Zeit könnten mit drei großen Buchstaben gelöst werden: A – E – T!«

A – für Agrikultur, E – für Energie und T – für Transport. Das diktiert die Vernunft. Aber wir Menschen sind nicht vernünftig, wir sind gierig. Wir produzieren Lebensmittel, um sie zu vernichten, statt sie dorthin zu transportieren, wo Menschen verhungern.

Wir verbrennen Wälder, Öl und Kohle, zerstören wissentlich die Umwelt, unsere Atmosphäre. Wir nehmen aus finanziellen Gründen die Gefahren der Atomenergie auf uns, statt uns der unerschöpflichen Sonnenenergie zu bedienen, die wir in den unendlichen, unbewohnten Gebieten Afrikas und Australiens einfangen, speichern und dorthin transportieren könnten, wo sie im Übermaß gebraucht wird. Technisch wäre das alles kein Problem, aber »es rechnet sich nicht, und daher geschieht es nicht«! Sagte Ludwig Bölkow, ungehörter Prophet im eigenen Land. Sein Genius wurde vornehmlich zur Entwicklung von Waffen und Geräten in der Luft- und Raumfahrt gebraucht.

Ganz einfach, die Welt ist geteilt in »zu viel und zu wenig, Wohlhabende und Nichtshabende. Die einen leben in Saus und Braus, die anderen in Chaos und Graus«.

Die zunehmende Verunsicherung der Menschen ob dieser Ungleichheit macht deutlich, dass wir umdenken müssen, und zwar gründlich und bald.

Wir Alten vermissen, was uns der so genannte »Fortschritt« an Lebensqualität genommen hat. Das Prinzip »mehr, immer mehr« treibt uns in eine Flucht in die Zukunft, von der keiner weiß, wie sie aussehen wird. Auch nicht unsere neunmalklugen Politiker, die vielleicht ihr Bestes geben. Die Frage ist, ob das gut genug ist?

Wir Alten schütteln die grauen Köpfe und verstehen die Welt nicht mehr so recht. Sie soll heller werden, schöner, perfekter, und was wird sie? Hektischer, chaotischer, bürokratischer, unfreundlicher, unsicherer.

Ich gehe langsam

Vermutlich merken Sie jetzt als Leser dieses Buches, dass sich der Autor bemüht, langsam, aber sicher zu einem versöhnlichen, positiven Ende zu kommen. Gar nicht so einfach. Zuletzt bleiben nur zwei Möglichkeiten: Entweder wir begeben uns mit Altersnörgelei ins Abseits, machen uns mit der zur Schau gestellten Unzufriedenheit und aufdringlichen Besserwisserei unbeliebt, oder wir akzeptieren das Alter und machen die Unbequemlichkeiten, Ängste, Mühen und Schmerzen mit uns selber ab.

Je älter ich werde, desto mehr spüre ich, dass eine ehrliche Antwort auf die Frage »Wie geht es dir?« weder erwartet noch gar mit entsprechender Anteilnahme honoriert wird.

Außerdem macht die ständige Jammerei ja nichts besser, im Gegenteil. Du gehst deiner Umwelt derart auf die Nerven, dass du dich bald selber nicht mehr leiden kannst.

Mach aus der Not eine Tugend. Dreh den Spieß um. Erzähl nicht jedem, was dir alles wehtut und was alles nicht mehr geht, man sieht es dir ohnehin an.

Frag die anderen, wie es ihnen geht, und hör gut zu. Du wirst staunen, was du bei der Beschäftigung mit dir selbst alles nicht mitbekommen hast.

Was dein soziales Verhalten betrifft, frei nach John F. Kennedy, sollten wir Alten aufhören zu fragen, was der Staat für uns tun kann, sondern mit erhobenen grauen Häuptern sagen, was wir für den Staat bereits getan haben und noch tun könnten – wenn man uns ließe.

Immer mehr junge Leute begreifen, dass die »Nullbockzeit« vorbei ist, dass sie ihre überschüssige Energie am falschen Platz verschwenden, wenn sie meinen, ihre Probleme durch Gewalt und Zerstörung lösen zu können.

Es tut mir weh, wenn ich die Typen sehe, aus deren kahl geschorenen Köpfen dumme Sprüche kommen. Früher marschierte diese Spezies in braunen Uniformen mit Hakenkreuzfahnen durch die Straßen, beschmierte Schaufenster jüdischer Geschäfte mit dem Davidstern oder zerschmiss sie gleich. Heute laufen einige in Fallschirmspringerstiefeln, schwarzen Hosen und Hemden Amok.

Noch sind linke und rechte Extremisten eine überschaubare und kontrollierbare Minderheit. Sorgen wir dafür, dass sie es bleiben, wir Alten wissen, wohin so etwas führt.

Der 29. Mai des Jahres 2010: Einhundertzwanzig Millionen Menschen hatten sich vor den Bildschirmen versammelt, um sich von einer hübschen, hüpfenden neunzehnjährigen Schülerin mit Namen Lena Meyer-Landrut beglücken zu lassen.

Europaweit trällerte sie, als Nummer 22 in diesem bis dato obskuren Wettbewerb, ein Liedchen mit unverständlichem Text, in einer Manier, die auch einen alten, geouteten »Anti-Eurovision-Song-Contest-Verweigerer« die Ohren spitzen lässt.

Lena vertritt die Bundesrepublik Deutschland in Oslo, bei diesem jährlich wiederkehrenden, musikalisch eher ärgerlichen Event. Und was geschieht? Dieses junge Geschöpf gewinnt den Wettbewerb! Nach achtundzwanzig Jahren schmerzlicher Demütigungen deutschen Liedgutes bei diesem Spektakel.

Europa rastet aus, von den Fjorden bis zum Mittelmeer! Selbst die zu Gesichtsneutralität verpflichteten Nachrichtendamen und -herren aller Fernsehsender, privater wie öffentlich-rechtlicher, verziehen ihre eingefrorenen Mienen bei der Verkündung dieser Sensation zu einem Lächeln.

Sondersendung zur Ankunft der Sondermaschine der Lufthansa. Das Wunderkind kehrt in seine Heimatstadt Hannover zurück, erwartet von Tausenden begeisterter Fans und einem roten Teppich, auf dem der niedersächsische Ministerpräsident brav und geduldig auf das Erscheinen der neuen deutschen

Lichtgestalt wartet. Blumen im Namen der Bundes-
kanzlerin!

Wo sind eigentlich die Eltern? Hat sie keine? Habe
ich nicht einen Verwandten von ihr vor Jahren in der
deutschen Botschaft in Moskau kennen gelernt?

Was ist geschehen? Was hat das zerstrittene Europa über Nacht zu »Lenasthenikern« gemacht?

Ist es die erfrischende, unbekümmerte Jugend der
hübschen Schülerin Lena? Nein!

Ist es das Lied »Satellite«, von dem ich immer noch
nicht weiß, wer es geschrieben hat und worum es da
geht? Nein!

Also was dann?

Warum rastet ganz Europa plötzlich aus? Da tan-
zen Hunderttausende in den Straßen, in Wohnstu-
ben, ganz egal wo, ganz egal welchen Alters, sie lassen
sich von diesem umwerfenden Springinsfeld anste-
cken. Da hüpft Jung mit Alt, Väter mit ihren Kindern,
Großeltern mit ihren Enkeln, sie hüpfen über Tische
und Bänke, über Betten und Sofas, sie hüpfen in den
Straßen, das alte Europa tanzt mit der jungen Lena
aus Hannover.

Wie ist das möglich?

Ich denke, die Erklärung ist relativ einfach: Die
Menschen haben genug, endgültig genug von
schlechten Nachrichten, Hiobsbotschaften und Kas-

sandrarufen aus griesgrämigen Politikergesichtern. Ein fröhliches Mädchengesicht kommt wie ein Lichtstrahl aus schwarz bewölktem Himmel. Aus Lena Meyer-Landrut wird ein Engel, der ihnen die Sorgen einfach wegsingt und weghüpft. Deutschland hat eine neue Lichtgestalt. Halleluja!

Sie wollen nicht mehr hören, ob unsere Soldaten in Afghanistan zu Recht oder zu Unrecht dort für unsere Sicherheit kämpfen und sterben, sie wollen nicht mehr hören, dass es einer Weltmacht, die Astronauten auf den Mond geschickt hat, und einem milliardenschweren Ölkonzern über Wochen nicht gelingt, ein Loch auf dem Meeresboden im Golf von Mexiko zu stopfen.

Sie sind es leid, dass sie von nach wie vor ausgabefreudigen Politikern und den Medien rund um die Uhr darauf hingewiesen werden, dass wir pleite sind und harten Zeiten entgegensehen.

Sie zweifeln an der Lauterkeit der gewählten Volksvertreter, die Milliardenbeträge zur Rettung unseriöser Bankiers und für EU-Pleiteländer absegnen, gleichzeitig aber verkünden, keine Mittel für die Probleme im eigenen Land zu haben.

Da genügt für einen zündenden Augenblick ein junges Menschenkind, das auf unnachahmliche Art die Probleme der gebeutelten Deutschen in Grund und

Boden singt und hüpft. Ein Kontinent tanzt mit Lena und vergisst, dass es ein Tanz auf dem Vulkan ist.

Zurück zur Realität. Als altes Zirkuspferd denke ich nicht im Traum daran, die Leistung des Naturtalents Lena Meyer-Landrut auch nur im Geringsten zu schmälern. Im Gegenteil! Hut ab vor der jungen Dame!

Was mir zu denken gibt: Wie lange wird der Traum anhalten? Wie lange wird die Begeisterung ausreichen, die Sorgen durch ein kleines Lied zu verdrängen?

Der Euphorie folgt die Ernüchterung. Was in Oslo geschah, kann man nicht planen, es geschieht eben einfach, und das ist gut so!

Ich war selbst überrascht, dass ich mich mit dreiundachtzig Jahren noch mal begeistern kann, für eine neunzehnjährige Schlagersängerin. Plötzlich war ich wieder jung, zurückversetzt in die Zeit vor fast sechzig Jahren, noch vor der Schauspielerei, als ich mit Schlagertexten mein Geld verdiente, für Gitta Lind und später für Udo Jürgens, Adamo, Harald Juhnke, Bibi Johns, Howard Carpendale und viele mehr.

»Denn erstens kommt es anders ...«

Keiner weiß, wie viele Jahre einem zugedacht sind, also versuche ich, aus jedem das Bestmögliche zu machen. Sternstunden und schwarze Löcher kommen wie das Wetter im April, unangemeldet, treffen dich unvorbereitet, also bleib auf der Hut!

Mein Lebensmotto war und ist: Über Hürden springst du, wenn du vor ihnen bist, nicht vorher, wenn du sie noch gar nicht siehst. Wer am Start an die Gefahren des Rennens bis ins Ziel denkt, kann es nicht gewinnen.

Abgesehen von der persönlichen Situation jedes Einzelnen – zur Zeit gehen wir ganz offensichtlich durch eine depressive Phase. Jammern ist angesagt, Zweifel an der Zukunft sind angebracht. Was immer wir lesen, sehen, hören, die Angst geht um.

Nicht doch! Angst lähmt, macht krank, hindert uns daran, die Suppe auszulöffeln, die wir Menschen uns doch selbst eingebrockt haben. Wir alle, die wir auf diesem wundervollen Planeten leben.

Je älter ich werde, umso fester hält mich die Erde. Ich bin dankbar für jeden Tag, den ich sie mit Füßen treten darf. Bis zum Ende bleibt es ein Hindernisrennen, mit allem, was dazugehört. Es ist spannend, schön, grausam, interessant, es ist himmelhoch jauchzend und auch zu Tode betrübt, es ist lebenswert.

Inzwischen bin ich dreiundachtzig Jahre, acht Monate und zwanzig Tage alt.

Ich gehe langsam. Die letzte Hürde kommt in Sicht. Wenn sie da ist, werde ich hoffentlich mit Mut und Anstand springen.